# Ne les motivez pas:
# ALLUMEZ-LES!

Pour Robert et Bryan,

Merci pour l'écoute
et la participation.

À la prochaine!

*[signature]*

ALAIN SAMSON

# Ne les motivez pas:
# ALLUMEZ-LES!

## L'art de préparer les troupes au changement

BÉLIVEAU
★
éditeur

Conception et réalisationde la couverture: Christian Campana

Tous droits réservés
©2013, BÉLIVEAU Éditeur

Dépôt légal: 1$^{er}$ trimestre 2013
Bibliothèque et Archives nationales du Québec
Bibliothèque et Archives Canada

ISBN 978-2-89092-563-2

**BÉLIVEAU**
——★——
é d i t e u r

920, rue Jean-Neveu
Longueuil (Québec) Canada J4G 2M1
Tél.: 514 253-0403/ 450 679-1933  Téléc.: 450 679-6648

www.beliveauediteur.com
admin@beliveauediteur.com

Gouvernement du Québec – Programme de crédit d'impôt pour l'édition de livres – Gestion SODEC – www.sodec.gouv.qc.ca.

Nous reconnaissons l'aide financière du gouvernement du Canada par l'entremise du Fonds du livre du Canada pour nos activités d'édition.

IMPRIMÉ AU CANADA

# Table des matières

**DEUXIÈME PARTIE
OFFREZ-LEUR UN TERREAU FERTILE**

# Introduction

*Il n'existe rien de constant si ce n'est le changement.*

– BOUDDHA

Au moment où j'écris ces lignes, des fonctionnaires fédéraux, spécialistes des changements climatiques, viennent d'apprendre qu'ils perdront leur emploi d'ici quelques semaines. Personne ne l'aurait prédit il y a un an. Des emplois spécialisés dans un monde où les préoccupations environnementales sont constantes. Et pourtant... qui l'aurait cru ?

Personne non plus n'aurait prédit la déconfiture boursière de RIM, des Pages Jaunes ou de Kodak. Et pourtant, ces compagnies ne sont plus que l'ombre de ce qu'elles ont jadis été. Des placements sécuritaires, disait-on...

Il y a trois ans à peine, qui aurait prédit que la dette de certains pays européens aurait de telles conséquences sur le niveau de vie de leurs citoyens ? Depuis, les plans d'austérité sont annoncés sur une base régulière et leurs impacts sont loin d'être prévisibles.

Il y a trente ans, le format VHS, en grande partie parce que l'industrie pornographique l'avait choisi, était déclaré vainqueur face au format Bêta. Qui aurait prédit, à ce moment-là, qu'on ne parlerait plus de cassette vidéo aujourd'hui ?

Il y a quarante ans, la compagnie Steinberg faisait la pluie et le beau temps dans le royaume des supermarchés au Québec. Que s'est-il passé pour qu'elle disparaisse? Même question pour Eaton.

Il y a cinquante ans encore, des entreprises promettaient des régimes de pension à prestations déterminées en pensant que leurs employés ne vivraient que quelques années après la date de leur retraite officielle. Mais les choses ont changé.

Il y a vingt ans, je pensais encore que je gérerais pour des décennies une entreprise familiale dont j'étais le directeur général. Puis mon beau-père est décédé.

Il y a dix ans, les Américains savaient tous que le meilleur moyen de s'enrichir, c'était en achetant de l'immobilier, sans égard au coût. Puis est arrivée la crise de 2008 et l'éclatement de la bulle immobilière. À quand la nôtre?

Il y a trois minutes, une amie m'a appelé pour me dire qu'un orage venait soudainement d'effacer de son disque dur deux semaines de révision linguistique. Qui aurait prévu qu'elle devrait passer quelques journées supplémentaires à retrouver ses fichiers?

Le monde change. Continuellement. Il y a des fois où ça fait notre affaire et d'autres où ça nous plonge dans le désarroi. Mais le changement fait partie intégrante de la vie, qu'on le veuille ou non. Et, en tant que gestionnaire, vous devez le gérer. Sinon, votre organisation restera stagnante et elle subira le même sort que ces entreprises qui ont refusé de s'adapter et qui ont disparu. Vous ne souhaitez pas être aux commandes du prochain VHS? Vous souhaitez diriger vos troupes et les aider à gagner malgré tous les changements qui se profilent à l'horizon? Ce livre a pour but de vous aider à réaliser vos ambitions.

## OUI, MAIS ILS NE VEULENT PAS COMPRENDRE !

Je sais. Ce n'est pas facile de demander aux gens de s'adapter et vous réalisez chaque jour que vos meilleurs discours n'y peuvent rien. D'autant que les solutions d'hier fonctionnaient et que c'est gênant, aujourd'hui, de leur dire de ne plus faire ce que vous leur enjoignez de faire depuis des années. Votre organisation doit s'adapter, mais vous doutez de pouvoir provoquer les changements qui s'imposent.

Et si, tels ces leaders d'antan qui ont tour à tour été déboulonnés, vous n'étiez plus dans le coup? Et si vous faisiez davantage partie du problème que de la solution?

Quand arrive le temps de diriger des gens, il existe deux types de personnes: les gestionnaires et les leaders. Les gestionnaires aiment le *statu quo*. Pour eux, les solutions d'hier s'imposent tous les jours. Pourquoi changer ce qui fonctionne et qui a fait ses preuves? D'autant plus que le manuel des politiques et procédures dit que... Les gestionnaires aiment l'immobilisme. Pour eux, ce qui a fonctionné dans le passé fonctionnera encore aujourd'hui. Les simples gestionnaires voient le changement comme un embêtement et espèrent qu'il finira par disparaître. Mais ce sont eux qui disparaîtront éventuellement.

### Les gestionnaires face au changement

Quand arrive un changement et qu'il est temps d'imposer de nouvelles manières de faire aux troupes, les gestionnaires vont souvent avoir recours à des tiers pour faire le sale boulot. On engage un motivateur qui va venir dire aux employés ce qu'il faut dorénavant faire pour être en phase avec l'Univers. On embauche une troupe de comédiens qui viendra nous montrer à quel point l'ancienne façon de faire était ridicule.

On tente par tous les moyens de pousser les gens à changer... et on obtient des changements dès le lendemain. Des changements qui durent au moins... quelques jours. Ensuite, retour à la case départ. C'est comme s'il ne s'était jamais rien passé.

Pourquoi ? Parce que les gens n'aiment pas les gestionnaires. Ceux-là mêmes qui disent que les employés ne veulent rien comprendre. Ils n'ont pas envie de changer. Ils s'aiment tels qu'ils sont ! Et ils résisteront tant qu'on fera appel à des mercenaires (motivateurs, comédiens, consultants ou autre) pour leur imposer des changements qui ne leur disent rien.

*Les leaders face au changement*

Et il y a les leaders. Ceux-là savent où ils s'en vont. Ils sont au fait de ce qui se passe dans leur environnement et ils sont bien conscients du fait qu'ils doivent pouvoir compter sur leurs troupes pour relever les défis en cours. Pour eux, les employés ne sont pas de simples outils de production ; ce sont des partenaires qu'il faut embrigader si on souhaite pouvoir faire face à la prochaine tempête.

Quand arrive un changement, les leaders ne se tournent pas vers le manuel des procédures. Ils savent que celui-ci est probablement désuet depuis des lunes. Ils savent que les solutions d'hier ne peuvent pas répondre aux problèmes d'aujourd'hui. Et ils savent qu'un motivateur n'aura qu'un impact temporaire sur les résultats du service qu'ils dirigent.

Non pas qu'ils doutent de l'utilité de mobiliser. Mais ils visent le long terme. Au lieu de regarder en arrière, ils préfèrent regarder en avant. Ils voient où ils souhaitent emmener leurs troupes. Et cette vision les anime bien plus que l'envie de préserver le *statu quo*.

## LÂCHEZ INTERNET !

Il ne vous sert à rien de passer vos soirées à «googler» *motivateur, consultant en changement* ou *spécialiste en mobilisation.* Vos employés n'ont pas besoin de quelque ressource externe pour se mobiliser. Ils ont besoin de vous.

Demain, le motivateur ou le clown ne sera plus là. Mais les problèmes et le stress générés par le changement seront encore au rendez-vous. Vers qui se tourneront-ils alors? Vers quelqu'un qui les a amusés hier? Non. Leurs yeux se tourneront vers celui ou celle qui devrait être leur principal motivateur tous les jours: vous!

Vous serez encore là demain. Vous serez disponible pour leur expliquer ce qui se passe. Vous serez en mesure de demander leur aide. Vous pourrez les encourager à mieux contribuer. Vous êtes la personne qui peut les aider à faire une différence. Pour cela, vous devrez quitter les pantoufles confortables du gestionnaire pour chausser les bottes du leader.

C'est l'objectif de ce livre de vous aider à y parvenir. Pour ce faire, vous devrez relever trois défis. Dans un premier temps, vous devrez mériter qu'on vous suive. Et pour qu'on vous suive, vous devrez devenir un véritable leader. Les gens ne s'associent pas spontanément à une personne sous prétexte qu'elle figure au-dessus d'eux dans l'organigramme. Le mérite doit s'acquérir. Et les employés se baseront sur quelques indices pour déterminer s'ils doivent vous suivre ou pas. Ces indices feront l'objet de la première section de ce livre.

Lors d'un sondage récent, 70 % des gens ont avoué qu'ils pourraient en donner plus à leur employeur, mais qu'ils ne sont pas assez motivés pour le faire. Votre deuxième défi sera d'offrir à vos employés un terreau qui leur permettra de déployer ce qui se cache de meilleur en eux afin de les motiver à se donner au maximum. Il y a trop de milieux de travail où on détruit le potentiel des gens au lieu de miser sur celui-ci. Découvrez comment vous pouvez changer les choses!

Et, finalement, votre troisième défi sera d'orchestrer le changement de manière réfléchie. Pas comme s'il venait de s'imposer à vous dans un rêve prémonitoire. Pas comme s'il vous dérangeait. Pas comme si une simple présentation PowerPoint pouvait suffire à l'enclencher.

Non. Vous aborderez le changement comme un travail continu, comme la raison d'être d'un leader. C'est ce que vous êtes, n'est-ce pas? Le temps est arrivé de le prouver. Puisse ce livre vous aider à faire de votre organisation une entité en harmonie avec votre environnement pour les prochaines décennies.

# PREMIÈRE PARTIE
# Devenez celui dont ils ont besoin

Les gens qui viennent à toi ne considèrent pas
leur problème comme un sujet de plaisanterie ou un jeu —
sauf s'ils sont suffisamment évolués eux-mêmes, et dans
ce cas ils savent déjà qu'ils sont leur propre messie.

– RICHARD BACH (*Le Messie récalcitrant*)

*Si vous n'arrivez pas vous-même à inspirer confiance, oubliez l'embauche d'un motivateur. Au mieux, ses propos allumeront les troupes un jour ou deux. Au pire, ils alimenteront le cynisme et justifieront le fait d'en faire le minimum.*

*Ça ne veut pas dire que vos employés n'ont pas besoin d'un motivateur. Ils en ont besoin, bien au contraire. Mais celui dont ils ont besoin, c'est vous. Et si vous apprenez à démontrer certaines caractéristiques, ils verront en vous quelqu'un susceptible de les mobiliser.*

*Vous êtes surpris? Vous pensiez qu'un patron n'est pas en position de mobiliser ses troupes? Détrompez-vous. Dans cette section, vous découvrirez ce que vous devez faire pour inspirer les gens et leur donner le goût de se dépasser.*

*Vous avez peut-être déjà tout ce qu'il faut pour vous éviter d'avoir à embaucher un motivateur lors de votre prochaine rencontre. Découvrons-le dès maintenant et voyons si vous pouvez répondre par l'affirmative aux six affirmations suivantes.*

- *Je suis reconnu pour ma bravoure. Je ne passe jamais pour un peureux.*

- *Je suis une source d'enthousiasme pour les gens qui m'entourent.*

- *Je sais où l'organisation s'en va et je communique cette vision chaque jour.*

- *J'encourage mes employés et collègues à donner leur opinion.*

- *Je félicite les gens qui font des erreurs en tentant d'améliorer ce que nous faisons.*

- *Quand je regarde mes employés, je vois davantage leurs forces que leurs faiblesses, et je fais tout pour développer ce qu'il y a de meilleur en eux.*

*Et puis? Combien avez-vous eu de réponses positives à ces six affirmations? Les gens que vous dirigez n'ont besoin que d'un seul motivateur: vous. Et pour pouvoir bien jouer ce rôle, vous auriez dû avoir six sur six.*

*Si tel n'est pas le cas, ne vous en faites pas: vous apprendrez, au cours des prochains chapitres, comment devenir celui pour lequel on se dépasse.*

# CHAPITRE UN

# Êtes-vous brave?

*Rodrigue, as-tu du cœur?*

– LE CID, CORNEILLE

Êtes-vous un amateur de cinéma? Si oui, combien de fois avez-vous été ému en voyant un personnage faire preuve de bravoure? Avez-vous vu Mel Gibson se lancer à l'assaut des troupes anglaises? Avez-vous vu un prof transformer une classe de laissés-pour-compte en experts de l'algèbre? Avez-vous vu Harry Potter affronter un magicien bien plus puissant que lui?

Dans tous ces cas, vous avez vibré au contact de la bravoure. Vous vous êtes senti élevé en vous arrimant à la décision du personnage. Vous vous êtes mentalement identifié à ce héros. Et vous vous êtes senti bien. Le simple contact avec des gens courageux nous inspire tout cela.

Au contraire, les personnes lâches et peureuses nous inspirent du dépit. Elles nous déçoivent. Pensez au docteur Smith dans *Perdus dans l'espace*, au comte Rugen dans *La princesse Bouton d'Or* ou au lion dans *Le magicien d'Oz*...

La lâcheté déçoit. Le courage fait vibrer. Si vous souhaitez faire vibrer et motiver vos collègues, vous devez développer votre bravoure. C'est aussi simple que ça.

Alors, que diriez-vous de faire vibrer vos gens au quotidien? Que diriez-vous d'être le héros des gens qui vous entourent? C'est possible et c'est nécessaire si vous souhaitez que vos troupes soient victorieuses malgré les défis qui s'imposent actuellement à elles.

Personne n'a envie de travailler pour un peureux. Personne ne se sent mobilisé quand il a le sentiment de travailler pour un pleutre. La bonne nouvelle, c'est que le courage se développe. Vous apprendrez comment dans ce chapitre.

## LES TROIS VISAGES DU COURAGE
### CHEZ UN LEADER

Comment vos employés s'y prennent-ils pour décider si vous êtes brave ou pas? Ils le font au quotidien, en scrutant vos gestes et vos comportements les plus fréquents. Ces indices entrent dans trois grandes catégories.

Il y a tout d'abord **le courage d'essayer des choses**. Vous en faites la preuve chaque fois que vous décidez de braver le *statu quo*, que vous tentez de faire les choses autrement ou que vous acceptez de remettre en question la manière dont se font les choses depuis des lunes. Cette première facette du courage implique de prendre des risques, de quitter les solutions confortables des succès passés et d'expérimenter. Ce type de bravoure pourrait être résumé par la question « et si on...? »

Vos troupes vous attribuent ce courage quand elles voient que vous ne vous tournez pas automatiquement vers le passé pour déterminer une réaction à un événement qui se passe aujourd'hui. Elles vous attribuent également ce courage quand vous restez ouvert aux nouvelles idées et que vous êtes prêt à les appuyer. Il en va de même quand vos gestes démontrent que vous embrassez le changement au lieu de lui résister.

Arrive ensuite **le courage de faire confiance**. On le reconnaît chez vous quand vous arrivez à lâcher les brides en vous disant que vos gens seront à la hauteur de vos attentes. Ce n'est certes pas toujours facile, mais comme nous le verrons plus tard, le leader qui arrive à le faire ne tarde pas à en retirer des dividendes. Les gens aiment qu'on leur fasse confiance et ils aspirent à se dépasser.

C'est d'autant plus vrai chez les membres des nouvelles générations. Ces personnes privilégient l'autonomie et abhorrent les gestionnaires qui font semblant de faire confiance alors qu'ils vérifient constamment par-dessus leurs épaules. Dans ces cas, la productivité chute brusquement.

Le troisième genre de courage, c'est **le courage de dire les choses**. Vous faites preuve de ce courage quand vous confrontez les gens dont le rendement n'est pas à la hauteur des attentes, quand vous demandez des changements de comportements, quand vous vous décidez à annoncer des nouvelles qui ne feront pas l'affaire des personnes ou quand vous arrivez à vous imposer quand ça importe.

Vous devez posséder ces trois genres de courage pour être considéré brave par vos troupes. Ce n'est pas la fin du monde, n'est-ce pas ? Et pourtant, il y a tant d'organisations qui périclitent parce que leurs leaders n'arrivent pas à s'adapter, à faire confiance ou à dire les choses. Voyons ce qui se passe alors.

## Les impacts de l'absence de courage

Dans les organisations où le leader ne démontre pas le courage d'essayer de nouvelles choses, c'est la stagnation qui prime. Les employés ne font pas preuve d'initiative. C'est très normal : imaginez qu'ils dérogent de l'ordre établi et que cela s'avère être une erreur... Ils se le feraient dire. Ils se feraient peut-être même montrer la porte. Alors ils se retiennent. Ils ne partagent pas leurs bonnes idées. Ils ne remettent pas en question l'ordre établi. Ils font abstraction d'un environnement qui change continuellement. Ils se mettent à *off*.

Plus encore, ils se retiennent de dire à leur patron ce qu'ils pensent réellement. Dans certains cas, ils continueront à travailler sur un projet qu'ils savent mort-né, sans le dire, de peur d'aller à contre-courant ou d'être perçus comme des gens qui n'ont pas le sens de l'équipe. Ou ils continueront d'appliquer les règles traditionnelles, même s'ils savent que les attentes de la clientèle ont changé et que leur adhésion au *statu quo* risque de la faire fuir.

Si une erreur est commise, ils jettent le blâme sur quelqu'un d'autre. Personne n'a envie de donner l'impression qu'il a tenté de changer les choses dans une organisation où le patron ne privilégie que le *statu quo*. Imaginez les conséquences.

Dans les organisations où le leader ne sait pas faire confiance, les employés réagissent en conséquence. Ils cessent souvent de se faire mutuellement confiance, ce qui réduit la qualité du travail d'équipe. Ils sont exaspérés par le comportement de leur patron, ce qui réduit encore plus leur productivité. Ils cessent de se donner parce qu'ils sentent que les attentes à leur égard sont minimales. Alors qu'ils auraient pu faire preuve d'initiative, ils se contentent d'attendre les ordres et ils les exécutent bêtement.

Certains vont même réagir en sabotant le travail en cours. Pourquoi donner son maximum quand il ne faut pas colorer en dehors des lignes, quand il faut respecter à la lettre ce qu'on attend de nous ? C'est rapidement décourageant.

Et que dire des organisations où le leader n'ose pas confronter les gens dont le rendement est inadéquat ou ceux qui nuisent à l'organisation ? Les conséquences, dans ce cas, peuvent être plus désastreuses encore.

- Certains cesseront de s'impliquer en constatant que ceux dont le rendement n'est pas à la hauteur ne subissent aucune conséquence. Ils réduiront leur niveau d'octane lentement mais irrémédiablement. Ils continueront à recevoir leur salaire sans véritablement le mériter (ou en le méritant moins).

- Certains entretiendront des comportements inadéquats pour la simple et bonne raison que personne n'aura eu le courage de leur demander de changer leur façon de faire. Par exemple, si personne ne vous dit que ça ne se fait pas de tutoyer les clients, vous continuerez à le faire en pensant que vous faites bien votre travail.

- Certains continueront à courber l'échine devant des clients abusifs qui devraient être remis à leur place.

Ne pas confronter, c'est accepter ce qui n'est pas acceptable. C'est féliciter ce qui ne se fait pas. C'est encourager tout le monde à opter pour un rendement minimal. Imaginez l'impact sur votre capacité à mobiliser les troupes si vous ne possédez pas ce talent... Pouvez-vous gérer des gens sans arborer le drapeau du courage ? Absolument pas !

## COMMENT DEVENIR BRAVE

Chez un leader, le courage n'arrive pas en option. Vous aurez beau engager un motivateur qui encouragera vos employés à se dépasser, à sortir de la boîte ou à conquérir le monde, ils se contenteront de trouver le message ironique ou de se chercher un nouvel emploi auprès d'un patron courageux.

Bonne nouvelle cependant, car le courage managérial se développe. Voici d'ailleurs quelques outils ou routines qui vous permettront de dégager ce premier attribut des patrons qui arrivent à motiver leurs troupes.

Débutons par le courage d'essayer des choses. Le courage, dans ce cas, repose sur la nécessité de s'adapter à un monde changeant et sur l'ouverture d'esprit, c'est-à-dire la capacité à supposer que le point de vue des autres, même s'il diffère du nôtre, est peut-être le meilleur, compte tenu des circonstances.

Commencez par constater que le changement est inéluctable dans notre monde, puis communiquez-le à vos troupes. Le chapitre douze vous aidera à y arriver. Disons pour l'instant qu'il y va de la survie de votre organisation. Réalisez ensuite qu'une organisation s'améliore par petits incréments, par essais et erreurs, et qu'une remise en question constante des processus est nécessaire.

Lors des rencontres destinées à régler certains problèmes, avant même de formuler votre opinion, demandez l'avis des membres de votre équipe et restez ouvert à celui-ci. Ce n'est pas parce que vous êtes le patron que votre opinion est nécessairement la meilleure. Et s'ils avaient raison ?

Réseautez avec des personnes avec qui vous pourrez vous tenir au courant de ce qui se passe dans votre secteur d'activité et des nouvelles pratiques d'affaires qui semblent démarquer ceux qui vont de l'avant. Évaluez ces nouvelles pratiques d'affaires et mettez en œuvre celles qui pourraient fort bien être rentables chez vous.

Retrouvez le goût du risque. La stagnation n'est pas une option. Demandez-vous chaque jour ce qui pourrait être fait pour aller plus loin. La vie n'est pas un long fleuve tranquille. Que pouvez-vous changer, aujourd'hui, pour prendre les devants sur vos concurrents ?

Vous développerez votre courage de faire confiance en déléguant. Cette habitude est tellement importante que nous lui consacrerons une grande partie du chapitre quatre. Vous devez prendre conscience des talents de chacun et de leur besoin d'aller plus loin, de se développer.

Si vous êtes comme plusieurs gestionnaires, le courage de dire sera plus difficile à développer. Vous préférez peut-être regarder ailleurs quand quelqu'un dans votre équipe n'est pas à la hauteur. Vous avez peut-être tendance à reporter les entrevues de gestion en vous disant que tel employé finira bien par s'améliorer de lui-même, mais, pendant que vous temporisez, les mauvaises habitudes prennent la place et les employés performants réalisent que vous acceptez des rendements médiocres. Or, comme nous le verrons au chapitre neuf, le sentiment d'équité doit prévaloir dans votre organisation si vous souhaitez que vos troupes embrassent le changement.

Il vous faudra donc apprendre à confronter et à dire aux gens qui ne sont pas à la hauteur ce qu'ils devraient améliorer, tout en restant respectueux. Il vous faudra peut-être même apprendre à mettre à pied certains d'entre eux afin de donner l'exemple si certaines mauvaises habitudes sont trop profondément ancrées.

Développer le courage de dire, c'est également se résoudre à communiquer les mauvaises nouvelles. Il peut être tentant de les balayer sous le tapis en se faisant croire que le besoin de changer finira par passer. Mais croyez-moi: vos employés vous seront bien plus reconnaissants si vous leur annoncez tout de suite ce qui ne va pas que si vous devez mettre la clé dans la porte l'an prochain à cause de votre peur d'assumer vos responsabilités.

## OUI, MAIS ILS M'AIMERONT MOINS...

C'est faux! Savez-vous comment vous voient les gens dont vous acceptez un rendement médiocre? Ils vous regardent de haut. Ils vous rient dans le dos. Ils n'écoutent pas quand vous parlez. Ils vous considèrent au mieux comme un mal nécessaire. Vous sentez-vous confortable dans ce rôle?

Savez-vous comment vous percevront ceux que vous déciderez finalement de congédier dans deux ans parce qu'ils ne sont pas à la hauteur? Ils ne comprendront pas que vous ne les avez jamais confrontés. Ils se demanderont pourquoi, soudainement, ils ne font plus l'affaire. Ils douteront de vos capacités de gestionnaire.

Savez-vous ce que pensent ceux qui se font dire de courber l'échine devant des clients qui abusent d'eux? Ils croient que vous les sous-estimez, que vous ne les respectez pas et que vous n'avez aucun égard envers eux.

Ils ne vous aimeront pas moins si vous apprenez à dire les choses. Ils apprendront au contraire à vous apprécier davantage. N'ayez crainte. Les gens braves sont suivis. On ne parle pas dans leur dos. On ne les ridiculise pas. On les respecte et on les suit. Ils sont tellement rares. On les aime plus, en fait. Parce qu'ils le méritent.

## CHAPITRE DEUX

# Êtes-vous enthousiaste ?

*Rien de grand n'a jamais été réalisé sans enthousiasme.*

– RALPH WALDO EMERSON

J'aimerais débuter ce chapitre en vous parlant de passion et de la manière dont celle-ci peut influencer une équipe de travail. La passion, c'est cette force intérieure qui nous pousse à nous dépasser, à aller plus loin. C'est cette force qui nous garde éveillés le soir parce que nous avons à cœur de résoudre un problème, de trouver une solution. Elle nous anime. Elle nous prend aux tripes.

Prenez deux organisations offrant les mêmes produits aux mêmes prix et avec la même technologie. C'est celle où on retrouve de la passion qui prendra les devants et qui sera la plus rentable. Parce que tous les éléments de son capital humain auront à cœur de réussir, de satisfaire les clients et de contribuer à la réalisation de la mission.

Selon Richard Chang, auteur de *The Passion Plan at Work*, la passion dans un milieu de travail offre plusieurs avantages :

- *La passion crée de l'énergie.* La passion balaie l'apathie et énergise les gens. Pas question de se tourner les pouces quand on est passionné. La tâche qui prendrait normalement une journée est exécutée en quelques heures et, le plus beau, c'est que les gens quittent le travail en pleine forme, sans ressentir de fatigue.

- *La passion encourage la créativité.* Les gens passionnés sont plus intéressés, plus curieux; et si quelque chose ne fonctionne pas à leur goût, ils font travailler leurs méninges afin de trouver des solutions. Ils ne se contentent pas d'attendre que le siège social trouve une solution. Ils ne se voient pas comme des automates mais plutôt comme des partenaires.

- *La passion fait grimper les performances de chacun.* Les gens passionnés ne se sentent pas limités par leur description de tâches. Si une tâche doit être exécutée, ils se déclarent volontaires. Si une compétence leur fait défaut, ils tentent de l'acquérir. Ils repoussent continuellement leurs limites.

- *La passion attire les meilleurs employés.* Il faut bien gagner sa croûte, mais les employés ne veulent plus d'un bête emploi où ils effectuent machinalement un travail en échange d'un salaire. De plus en plus, ils exigent de pouvoir se réaliser au boulot, d'avoir du plaisir et de sentir qu'ils font une différence. En conséquence, ils seront attirés par les organisations où la passion n'est pas une option et ils hésiteront à la quitter sur une simple comparaison salariale. Il est fini le temps où on pouvait attirer les meilleurs talents en offrant simplement un meilleur salaire. Les gens ont besoin de sens, d'un sentiment de contrôle et de plaisir.

- *La passion fidélise.* Faites-vous affaire avec une organisation (un fournisseur, un restaurant, une banque, etc.) dont le personnel est passionné? Si c'est le cas, vous savez ce que vous ressentez quand vous transigez avec un de ses membres. Cette énergie et cette bonne humeur sont contagieuses et vous enlèvent l'idée d'aller voir ailleurs.

- *La passion unit l'organisation.* Finalement, une passion commune réduit les risques de gestion en silo et les guerres de territoires. Elle unit les gens au-delà de leurs intérêts particuliers. Les gens passionnés songent à l'intérêt commun. Ils savent que la vie organisationnelle n'est pas un jeu à somme nulle. Les gains des uns ne se font pas nécessairement aux dépens des autres.

Pouvez-vous vous passer de tous ces avantages? Il est probable que non. En fait, pour demeurer concurrentielles, toutes les organisations devraient avoir des employés qui sont passionnés. Ce n'est pas une option.

## UN IMPORTANT PRÉALABLE À LA PASSION

La passion peut difficilement être nourrie dans une équipe si le patron n'est pas enthousiaste, s'il a l'air de s'ennuyer ou de s'attendre au pire. Comment souhaitez-vous passionner les gens si vous n'êtes pas vous-même enthousiaste? Comment les allumer si vous ne l'êtes pas également?

Avez-vous déjà dû composer avec un patron qui n'aimait visiblement pas son travail? Vous rappelez-vous ses comportements? Il arrivait bougon, racontait ce qui allait mal dans le monde, n'attendait pas grand-chose de vous et avait toujours une approche défaitiste quand vous proposiez un nouveau projet.

En réaction, très rapidement et sans égard à votre amour du métier, vous avez perdu votre plaisir de travailler. Les lundis sont devenus pénibles. Votre créativité s'est tue. Au lieu de trouver de meilleures manières d'accomplir votre travail, vous avez pris l'habitude de passer vos journées à regarder l'horloge et à attendre la libération.

Comment se sentent les gens à votre contact ? Faites le test : appelez quelques employés ou invitez-les à se présenter à votre bureau. Vous arrivent-ils avec le sourire, désireux de connaître ce que vous avez à communiquer ? Ou se présentent-ils anxieux, se demandant ce qui va maintenant leur arriver ?

La bonne nouvelle, c'est que vous pouvez devenir un patron enthousiasmant, en adoptant quelques habitudes et en modifiant votre attitude. C'est ce à quoi nous consacrerons la suite de ce chapitre. Vous ne pourrez jamais les allumer si vous ne l'êtes pas vous-même.

- **Démontrez que vous allez bien.** Vous attendez-vous à ce que vos employés répondent à vos clients avec le sourire ? Pourquoi donc ? Je parie que c'est parce que vos clients apprécieront davantage votre organisation et que ces sourires les fidéliseront. C'est bien ça ?

  Il en va de même avec vos clients internes, c'est-à-dire vos employés. Souriez. Entrez au travail d'un pas énergique et avec de bonnes nouvelles. Vous réduisez l'indice d'octane de vos employés quand vous arrivez en dépeignant un portrait démoralisant de notre société ou de l'économie.

- **Oubliez l'apocalypse.** Les imprévus, les crises ou les changements de priorité font partie du quotidien normal d'une organisation. Arrêtez de crier à la catastrophe chaque fois qu'un tel événement survient. Imaginez ce que vous inspirez alors. Les gens vont douter de vos compétences, ce qui, loin de les motiver, leur fera craindre le pire.

  Remarquez que cela ne veut pas dire de refuser de faire face aux crises. C'est simplement que vous devez les aborder avec la tranquille assurance que vous en viendrez à bout.

- **N'oubliez pas de féliciter.** Il y a trop de patrons qui ne s'occupent que des employés à problèmes pendant que ceux qui font bien leur travail sont ignorés. Imaginez l'impact sur ceux qui sont vraiment à leur place. Cela finit par être démoralisant quand personne, surtout le patron, n'apprécie leurs bons coups.

  Au lieu de porter votre attention seulement sur les faiblesses des gens qui travaillent avec vous, constatez leurs forces. Découvrez ce qu'ils font de bien et complimentez les bons comportements. Vous ne tarderez pas à constater l'impact positif de cette habitude.

- **Démontrez votre confiance.** Quand vous confiez un mandat à un employé, faites-le dans l'enthousiasme. Vous avez confiance en cette personne. Vous savez qu'elle sera à la hauteur de vos attentes. Vous croyez en ses capacités. Évaluez le travail une fois terminé au lieu d'intervenir continuellement pendant le mandat. L'autonomie est une valeur importante pour la majorité des employés.

Cela ne veut pas dire que vous ne resterez pas accessible si un problème survient en cours de route. Communiquez également à l'employé que vous restez disponible et que vous serez heureux d'être tenu au courant ou d'aider si un besoin survient. Vous n'êtes pas un patron distant qui se contente d'évaluer et de punir; vous êtes un partenaire impliqué dans le succès de chacun.

• **Ne perdez pas votre mission de vue.** Nous y reviendrons plus loin, mais il existe une différence énorme entre une personne qui a une mission et une autre qui a simplement un job. Vous n'êtes pas qu'un simple gestionnaire. Vous avez une mission à accomplir. Quelle est-elle? Rappelez-vous-la et communiquez-la chaque jour.

Il est tellement facile de se laisser entraîner dans la routine et d'oublier sa raison d'être dans l'organisation. Vous n'arriverez jamais à motiver vos troupes si vous vous contentez d'effectuer votre travail bêtement en perdant de vue ce que vous faites réellement.

Vous n'êtes pas qu'un simple directeur d'école. Vous préparez la prochaine génération à se réaliser dans un monde en changement. Vous n'êtes pas qu'un simple maraîcher. Vous nourrissez la planète. Vous n'êtes pas qu'un simple conférencier. Vous mobilisez les gens et vous les encouragez à devenir meilleurs chaque jour. Prenez conscience de ce que vous faites vraiment. Vous ne tarderez pas à redresser votre corps, à bomber le torse et à ressentir une fierté légitime. Ensuite, apprenez à chacun à ressentir également cette belle fierté.

- **Rappelez aux gens leurs bons coups.** Il arrivera que certains employés douteront de leur capacité à être à la hauteur quand vous leur confierez certains mandats. Dans ces cas, rappelez-leur toutes les fois où ils se sont surpassés et réitérez votre confiance. Il est tellement facile de perdre confiance en soi. En témoignant votre fierté face aux états de service passés, vous leur prouvez que vous êtes leur meilleur fan!

- **Répandez les bonnes nouvelles.** Un de vos vendeurs vient de ravir un client à la concurrence? Cela mérite une célébration: sonnez la cloche, annoncez-le avec fanfare, expédiez un courriel à tous les employés. Faites en sorte que tous savent que les affaires vont bien et que vous en êtes heureux. Partagez cette bonne humeur.

  Cette habitude aura un autre impact sur vous. En vous efforçant de trouver des occasions de célébrer, cela vous permettra de constater sur une base continue le bon travail de vos troupes. Il y a tellement de bonnes choses qui se passent sous vos yeux chaque jour et que vous tenez pour acquises. Devenez un meneur de claques.

- **Cultivez l'humour.** Il n'y a rien de tel pour dédramatiser les problèmes et mettre en relief les incongruités de la vie. L'humour peut faire tomber la pression dans les pires moments. Non pas en laissant entendre que la situation en cours a peu d'importance, mais bien en faisant réaliser aux autres qu'il y a de bons côtés dans toutes les situations.

Pratiquez l'humour véritable, cependant. L'humour qui blesse ou qui sert à écraser les gens ne fera pas de vous un motivateur, bien au contraire.

## MAIS JE NE SUIS PAS UN CLOWN...

Vous craignez peut-être que le fait de développer ces habitudes vous transforme en amuseur public et vous fasse perdre toute crédibilité? N'ayez crainte. C'est plutôt le contraire qui se produira. L'enthousiasme engendre la passion, non pas le sarcasme. Voici ce qui vous attend en devenant une source d'enthousiasme pour les autres.

Premièrement, loin de vous faire perdre votre crédibilité, votre enthousiasme peut la faire augmenter. Votre façon d'accueillir les mauvaises nouvelles a un impact certain sur votre image de leader. Personne ne veut suivre un peureux. Personne ne souhaite s'engager auprès d'un hystérique. Le fait de côtoyer un leader capable de prendre les mauvaises nouvelles avec un humour sain et mesuré nous rassure, nous donne à penser que nous sommes entre bonnes mains et que nous pouvons nous investir sans crainte dans notre tâche.

Deuxièmement, le fait d'être une source d'émotion positive aura un impact positif sur votre leadership. On a souvent tendance à penser que l'autorité dans une organisation repose sur l'usage du bâton ou de la carotte. Cette manière de voir prend appui sur les postulats suivants: les gens vous suivront de crainte d'être punis ou dans l'espoir d'être récompensés.

Ce n'est plus justifié, aujourd'hui, de penser que les gens vous suivront davantage parce qu'ils craignent les conséquences ou qu'ils aspirent aux récompenses que vous pourriez leur offrir. Ils vous suivront s'ils sentent que vous en valez la peine. Et en devenant plus enthousiaste, vous leur communiquez ce message. Vous ne jouez pas à faire le clowns.

Les gens qui font naître chez les autres des sentiments positifs ont plus de facilité à attirer et à mobiliser ceux qui les entourent. C'est normal. Personne n'a envie de côtoyer quelqu'un qui nous donne à penser que nous ne valons rien et que c'est peine perdue...

Troisièmement, le fait d'observer vos employés avec une lentille positive vous permettra d'aller chercher ce qu'il y a de mieux en eux. Les gens réagissent aux attentes envers eux. Attendez-vous au meilleur et ils vous le donneront. Attendez-vous au pire et ils vous le donneront également. Ce n'est pas qu'ils sont méchants ou de mauvaise volonté. C'est juste qu'ils construisent la vision qu'ils ont d'eux-mêmes en regardant dans les yeux de leur patron. Et si vous attendez peu d'eux, ils supposeront qu'ils ne sont pas capables de grand-chose.

Vous ne devenez pas un clown en démontrant votre enthousiasme. Vous faites la preuve que vous valez la peine d'être suivi. Vous devenez un peu plus le motivateur dont ils ont besoin.

# CHAPITRE TROIS

# Êtes-vous visionnaire?

*À celui qui voit loin, il n'est rien d'impossible.*

— HENRY FORD

Imaginez-vous matelot, prisonnier des caprices d'un capitaine qui ignore comment utiliser un sextant et qui ne sait visible-ment pas vers où le navire se dirige. Comment vous sentiriez-vous? À l'aise? En sécurité? Ou dans le doute? Je parie que vous craindriez pour votre survie. Et c'est normal. On a beau pouvoir compter sur un capitaine expérimenté, si on apprend qu'il ne sait pas où il s'en va, on en arrive à douter. On risque également d'emprunter une mauvaise route. On se met à craindre les bas-fonds et les terres inhospitalières...

En mai 2000, la ville de Walkerton en Ontario est frappée par une épidémie. Sept personnes meurent et 2300 tombent malades. C'est encore plus impressionnant quand on sait que la population ne comptait que 5000 habitants à l'époque. La cause de cette catastrophe: l'eau de la municipalité était con-taminée à la bactérie E.coli.

Une enquête déterminera que cette crise était due au fait que, pendant des années, les autorités avaient toléré l'incompétence et le laisser-aller parmi les employés des travaux publics. On avait depuis longtemps perdu de vue l'importance des normes microbiologiques. On avait fini par penser que c'était des tracasseries gouvernementales, des caprices de fonctionnaires. On avait oublié la mission de cette division des travaux publics : offrir aux citoyens de cette municipalité une eau de qualité.

## L'importance d'une culture rassembleuse

La culture d'une organisation, c'est l'ensemble des éléments qui unit ses membres. La raison d'être de l'équipe. La mission. Les valeurs qui dictent à quelles conditions l'atteinte des objectifs sera considérée un succès. Selon les cas, une culture peut entraîner les membres de l'organisation dans un cercle vicieux ou dans un cercle vertueux.

Ce fut un cercle vicieux dans le cas de Walkerton. Au fil des ans, on avait à ce point permis aux employés de se laisser aller que ceux-ci considéraient maintenant la raison d'être de leur emploi comme un embarras. Dans leur esprit, ils étaient maintenant payés pour pointer au début de leur quart de travail et faire de même à la fin. Comment se sentir fier de son travail dans de telles conditions ?

D'autres cultures d'entreprise, au contraire, valorisent le respect, la responsabilité, l'honnêteté et l'intégrité. Leurs membres vibrent quand ils sentent qu'ils rendent service et ils cherchent constamment à être à la hauteur de la confiance que les gens ont envers eux. C'est ce type de culture que vous souhaitez créer.

Dans les organisations où les dirigeants ignorent qu'ils ont le choix entre laisser faiblir ou renforcer une culture positive chaque jour, les gens sont laissés à eux-mêmes. Ils ignorent ce qui est important et ce qui ne l'est pas. Ils ignorent ce qui doit absolument être fait et ce qui est secondaire.

En conséquence, il est possible qu'il y ait glissement. Glissement vers la médiocrité, vers un état où, comme à Walkerton, on en vient à oublier notre raison d'être et les valeurs qui doivent nous animer. Glissement vers la facilité où on finit par faire du temps au lieu de remplir notre mission. Glissement vers l'anéantissement de l'organisation parce que cela a un impact négatif sur les relations entre collègues, avec la clientèle, avec les fournisseurs et avec les actionnaires de l'organisation.

Vous ne pouvez pas vous permettre d'entraîner vos troupes dans un cercle vicieux. Vous devez lutter contre l'entropie et le laisser-aller chaque jour. Pour ce faire, vous devez prendre le bâton du pèlerin et marteler les messages qui s'imposent chaque fois que l'occasion se présente.

Une culture forte vous rapportera d'autres bénéfices. Puisqu'elle favorise une unité d'objectifs, elle fait en sorte que les gens collaborent, s'encouragent et s'autorégulent mutuellement. Elle encourage les gens à se faire confiance puisqu'ils agissent en suivant le même registre de valeurs. Ce sentiment de confiance les amène à prendre des risques qui seront à l'origine de l'amélioration continue et des idées nouvelles.

Une culture forte exige du coup moins de supervision parce que les gens qui savent vers où vous les menez peuvent faire preuve d'initiative sans crainte de subir vos foudres. En assumant votre rôle de visionnaire, vous les libérez de la supervision directe parce que les cultures positives naissent des modèles proposés par les leaders. Comment pouvez-vous bien jouer ce rôle? Ce sera le sujet de la suite de ce chapitre.

## LES VALEURS
## QUE VOUS COMMUNIQUEZ

J'ai connu un patron qui aimait bien raconter, raconter et répéter encore et toujours qu'au début de sa carrière (et encore aujourd'hui), les semaines de cinquante heures ne lui faisaient pas peur. Qu'il travaillait pendant ses heures de lunch. Qu'il rentrait au boulot même quand il était malade. Qu'il avait quelqu'un pour s'occuper des enfants quand ceux-ci n'allaient pas bien.

À force d'entendre ces affirmations, ses employés se sont sentis obligés de l'imiter avec, comme conséquences, une augmentation du taux de *burn-out,* une montée en flèche du présentéisme, une baisse de l'engagement et la perte d'employés clés qui privilégiaient un meilleur équilibre travail-famille.

Il aimait bien crier à tout vent qu'il fallait mettre l'épaule à la roue, mais, au bout du compte, il a affaibli son équipe. Il aurait mieux valu qu'il applique les conseils que je vous présenterai au chapitre neuf. On ne peut s'attendre à un rendement maximal si on épuise ses troupes.

J'ai été conférencier pour un détaillant qui, tout au long de l'année, avait répété que le travail d'équipe était ce qui importait le plus pour le succès de l'organisation. Juste avant ma conférence de fin d'année, il a récompensé les meilleurs vendeurs en tenant compte de leur performance individuelle. Quel message a-t-il alors communiqué à ses troupes ? Qu'il avait menti toute l'année ou qu'il ne savait vraiment pas ce qu'il voulait ?

Contrairement à ce que vous pensez peut-être, vos employés sont constamment à votre écoute et ils basent leurs agissements sur les messages que vous leur communiquez.

Assurez-vous donc que vos communications soient en phase avec ce que vous aimeriez voir dans votre organisation.

Quelles sont les valeurs et les objectifs qui devraient animer les gens de votre équipe chaque jour ? La marge bénéficiaire ? La satisfaction du client ? L'esprit d'initiative ? Décidez-le et assurez-vous de le communiquer chaque jour. Trouvez des phrases-chocs et répétez-les chaque fois que vous le pouvez. Félicitez les gens sur la base de ces valeurs et de ces objectifs.

Bref, soyez conséquent. Vous créerez de l'incertitude si vous communiquez des messages hybrides. Ne demandez pas aux gens de focaliser sur vingt-cinq messages à la fois. Répétez ceux qui importent. Ceux qui feront une différence et qui pourront être partagés par l'ensemble des troupes.

Ne vous gênez pas non plus, quand vous en avez le temps, pour raconter les histoires de membres de votre organisation qui ont fait des choses extraordinaires en adhérant aux valeurs de l'organisation. Au niveau culturel, ces histoires finiront par faire partie intégrante de votre folklore et elles seront communiquées de générations d'employés en générations d'employés.

## LA DESTINATION
## QUE VOUS COMMUNIQUEZ

Les employés ont également besoin de savoir où vous les amenez. Quel avenir souhaitable envisagez-vous avec eux ? Comment réaliserez-vous votre mission ultime ? Où en serez-vous, collectivement, dans cinq ans ou l'an prochain ?

Les employés n'ont rien à cirer d'un patron qui leur dit : « Ne vous en faites pas, je sais où on s'en va. » Ils souhaitent connaître la destination du voyage parce que, s'ils sont privés de cette information, ils devront bêtement se contenter de faire ce qu'on leur demande sans s'investir et sans pouvoir y aller d'un effort discrétionnaire.

Rappelez-vous les plus grands leaders de notre siècle. Martin Luther King qui annonce qu'il a rêvé d'un monde égalitaire. John F. Kennedy qui souhaite conquérir la lune avant dix ans. René Lévesque qui dessine le portrait d'un peuple souverain présent aux Nations Unies. Chacun savait dépeindre un futur souhaitable et réalisable. Vous pouvez faire de même.

Vous voyez votre organisation première en ce qui concerne les parts de marché ? Vous la voyez décrochant un prix à cause de la qualité de vos produits ? Vous l'imaginez se voir accorder le prix de meilleur employeur ? Mettez cette vision en mots et communiquez-la aussi souvent que possible. Faites-en votre mantra. Agissez de sorte que vos employés sachent vers quoi ils doivent diriger leurs efforts quotidiens.

Cette destination ne doit pas faire l'objet d'une simple communication annuelle. Faites-en des cartes postales que vous expédierez à chaque employé. Fabriquez-en une affiche qui sera placardée un peu partout. Insérez-la dans l'en-tête de votre journal interne. Elle doit devenir omniprésente.

## LES QUESTIONS
## QUE VOUS POSEZ

Débutons cette section par un jeu-questionnaire. Imaginez que vous arriviez au bureau un lundi matin après une absence de trois jours. Quelle question posez-vous en premier :

- À combien se sont chiffrées les ventes?
- Combien y a-t-il eu de nouvelles ouvertures de compte?
- Quelle a été la marge bénéficiaire ce week-end?
- Est-ce que tout le monde est rentré?

Vous ouvrez une rencontre de direction. Laquelle de ces questions intégrerez-vous à l'ordre du jour:

- Quel est notre taux de rétention du personnel à date cette année?
- Quel est le taux de satisfaction de la clientèle?
- De quoi ont l'air nos flux financiers à date cette année?

Les questions que vous posez sont très puissantes. À moins que les gens vous considèrent comme un simple gestionnaire de passage, elles communiquent à ceux qui vous entourent ce qui est réellement important au niveau organisationnel. Elles communiquent les priorités.

Et il y a fort à parier que les gestes qui seront posés après ces questions seront en phase avec celles-ci. Dans le premier exemple, vous avez mis l'accent sur le chiffre des ventes et non sur la marge bénéficiaire? Vous avez de nouveau insisté sur l'importance de la satisfaction de la clientèle? Il est probable qu'on travaillera dans ce sens dans les prochains jours.

Assurez-vous de poser les bonnes questions parce que ce que vous demandez aura un impact sur ce qui deviendra prioritaire. Les yeux sont braqués sur vous. On a à cœur de savoir ce qui vous anime afin de vous le livrer. Évitez donc de parler pour parler et de communiquer des messages contradictoires. Vous risquez d'obtenir ce que vous demandez...

Vous avez peut-être déjà lu une de ces nouvelles litté-
raires où on vous dit de faire attention à ce que vous souhaitez parce que cela pourrait se réaliser. Vous souhaitez perdre
du poids et vous vous retrouvez avec un cancer qui vous fait
maigrir à vitesse grand V. Vous souhaitez ne pas aller à la
guerre et un cheval vous bousille les deux jambes, vous évi-
tant ainsi le service militaire mais vous condamnant à une vie
en fauteuil roulant. Vous rêvez de conquérir une personne
pour réaliser que c'est le pire cauchemar que la vie pouvait
vous imposer. Dans tous les cas, la personne obtient ce
qu'elle souhaite, mais elle réalise qu'elle est loin d'avoir amé-
lioré son sort.

Dans le même ordre d'idées, faites attention à ce que
vous demandez parce que c'est vers là que les efforts de vos
gens pourraient se concentrer. Dirigez leurs regards là où ça
ne compte pas et vous vous en mordrez les doigts pendant
des années.

## ON NE CRÉE PAS UNE NOUVELLE CULTURE ; ON TRANSFORME PROGRESSIVEMENT CELLE QUI EST EN PLACE

De même que c'est petit à petit que l'eau érode un rocher et
élargit le cours d'une rivière, c'est avec le temps qu'un leader
modifie la culture de son organisation. Il ne sert à rien de tirer
partout à boulets rouges. Il ne sert à rien de prétendre qu'on
changera tout dans un temps record. Cela vaut autant au
niveau organisationnel qu'aux niveaux gouvernemental ou
sociétal.

L'humilité est de mise ici. Même en situation de crise, on
ne change pas trop de choses sans créer du ressentiment et
sans encourager le sabotage. Priorisez vos défis puis, un à

un, par vos questions, vos histoires et vos discours, mettez-les à l'ordre du jour. Martelez-les jusqu'à ce que vous obteniez les résultats souhaités puis passez aux suivants.

Donnez-vous du temps. La culture à laquelle vous vous attaquez ne s'est pas bâtie en une journée et vous ne la changerez pas du jour au lendemain. Oubliez l'idée de changer instantanément la culture de votre organisation. C'est de façon incrémentielle que vous y arriverez.

Ne laissez pas les gens dans l'obscurité. Vous devriez, chaque année, réunir votre équipe complète pendant une demi-journée ou une journée entière afin de présenter les objectifs à venir et les raisons qui font que ces objectifs ont été choisis.

## DONNEZ L'EXEMPLE QUAND
## VOUS DEVEZ PRENDRE UNE DÉCISION

Finalement, retenez que la vie présente de ces paradoxes dont on se passerait volontiers. Bien que changer une culture puisse prendre un temps fou, une seule erreur suffit pour revenir à la case départ. Par exemple, vous aurez beau vanter l'importance de l'intégrité pendant des années, il suffira d'une petite incartade de votre part pour faire réaliser à toutes vos troupes que vos discours ne reposaient que sur du vent.

Ne vous laissez donc pas aveugler par des gains à court terme s'ils vont à l'encontre de ce que vous attendez de vos troupes. Vous vous tireriez dans le pied. Ces personnes sont à l'affût de vos moindres faits et gestes. Vous êtes leur phare. Ne les décevez pas et continuez à leur indiquer la voie.

CHAPITRE QUATRE

# Êtes-vous prêt à partager le pouvoir?

*Le leadership partagé implique de profiter au maximum de toutes les ressources d'une organisation en donnant à chacun le pouvoir et en lui donnant l'opportunité de prendre le leadership dans son secteur d'expertise. [...] Partager le pouvoir n'est pas facile, mais c'est définitivement possible et, dans beaucoup de cas, cela mène au succès.* (Traduction libre)

– MARSHALL GOLDSMITH

Vous souhaitez allumer vos employés? Faites en sorte qu'ils s'approprient votre organisation, qu'elle devienne leur. Pour ce faire, confiez-leur les rênes du pouvoir. Eh oui, permettez-leur de mettre leurs mains sur le volant et d'influencer le cours de l'histoire... Oubliez ces politiciens qui disent que, pour connaître le succès, ils doivent avoir les deux mains sur le volant. Les personnes à succès savent le partager.

La vision traditionnelle du pouvoir est tout autre, n'est-ce pas? Pendant l'ère du management scientifique, on pensait avoir trouvé le secret de l'efficacité: le patron était là pour penser et les employés pour exécuter. Le message implicite

voulait que les employés ne soient que des outils de production qui ne pouvaient avoir leur mot à dire sur la gestion quotidienne parce qu'ils ne pouvaient pas comprendre tous les
aléas du travail en cours. Les bons employés étaient forcé-
ment ceux qui se taisaient et faisaient ce qu'on leur demandait. Charlie Chaplin a très bien dépeint cette vision passéiste
quand il a tourné *Les temps modernes*.

C'était peut-être correct à l'époque. Les employés étaient
majoritairement analphabètes et ils n'étaient pas spécialisés.
Ils se contentaient souvent de faire ce qu'on leur demandait et
ne ressentaient pas le besoin de comprendre l'utilité des
gestes qu'on souhaitait les voir poser. Ils ne demandaient pas
pourquoi. Ils vendaient leur temps et leurs bras... pas des
résultats.

À l'époque également, le patron était omniscient. Il con-
naissait toutes les machines et pouvait remplacer au pied levé
tout employé qui ne se présentait pas au travail ou qui s'était
estropié pendant celui-ci.

Les temps ont changé. L'employé d'aujourd'hui ne se voit
pas comme un simple outil de production. Dans son domaine
d'expertise, il est généralement plus compétent que son
patron. Il désire être consulté. Il réclame de l'autonomie et,
plus encore, il souhaite qu'on lui fasse confiance et qu'on lui
permette de prendre des décisions quand il sent que celles-ci
lui reviennent.

Les temps ont changé et le mot *patron* a également
changé de sens. Alors que ce mot désignait autrefois l'équivalent du capitaine de navire, seul maître à bord, il a peu à peu
pris le sens de chef d'orchestre.

Partager le pouvoir, c'est s'ouvrir au leadership partagé.
C'est comprendre qu'une entreprise n'est pas une secte diri-
gée par un gourou vers qui on se tourne automatiquement

chaque fois qu'une décision doit être prise. C'est accepter le fait qu'au fil des situations, le leadership doit être assumé par la personne la plus susceptible de prendre la bonne décision.

C'est un problème informatique? Parlons-en aux responsables des TI[1]. C'est un problème de production? Parlons-en aux personnes les plus à même de comprendre ce qui se passe. Vous n'avez pas à tout contrôler. C'est contre-productif.

Comment pouvez-vous mieux partager le pouvoir? Les quelques conseils qui suivent devraient vous y aider. Pour aller plus loin, consultez l'ouvrage que j'ai déjà écrit: *Comment favoriser le travail d'équipe.*

- *Confiez les mandats aux personnes les plus aptes à les mener à terme.* Pour ce faire, vous devrez apprendre à mieux les connaître et à réaliser que vous n'êtes pas toujours la meilleure personne pour prendre une décision. Ce n'est pas honteux de vous tourner vers un autre quand un tel moment se présente. C'est rassembleur et mobilisateur.

- *Encouragez l'esprit d'initiative.* Dites à vos troupes qu'elles peuvent prendre des décisions en autant que ces dernières respectent les valeurs de l'organisation et qu'elles contribuent à la cocréation de son futur souhaitable que vous leur avez maintes fois dépeint.

- *Encouragez la collaboration.* Si plusieurs compétences sont nécessaires pour venir à bout d'un mandat, confiez-le à une équipe. Créez celle-ci en misant sur la complémentarité à la manière de Dan Briggs, le leader de *Mission impossible.*

---

1. Technologies de l'information.

- *Faites confiance.* Vos employés se rebifferont s'ils sentent que vous doutez d'eux. S'ils ne sont pas dignes de votre confiance, revoyez vos critères d'embauche.
- *Avant de prendre une décision, prenez l'habitude de vous demander si elle vous revient.* Il est facile de croire que le fait d'être le patron vous autorise à prendre toutes les décisions et à réagir de façon automatique quand on vous pose une question. Prenez un instant pour vous demander si c'est le cas avant de répondre.

Ces quelques conseils devraient vous aider à faire grimper le sentiment de valeur personnelle de chacun de vos employés. Ils ne sont pas des pièces remplaçables ; ils ont leur raison d'être dans votre organisation. Et s'ils ont le sentiment de réellement contribuer au lieu d'exécuter aveuglément, ils mettront les bouchées doubles pour vous satisfaire.

## Oui, mais s'ils font des erreurs ?

Si vous êtes maniaque de contrôle et que vous entretenez encore l'image du patron-gourou, il est normal que vous vous posiez cette question. Il se peut même que votre imagination vous entraîne dans des scénarios apocalyptiques si vous envisagez de faire confiance. Vous vous sentez peut-être également menacé. Après tout, le leadership partagé peut vous apparaître comme une menace : s'il fallait que vos employés se mettent à prendre des décisions, ils n'auraient peut-être plus besoin de vous... et vous devriez partager le mérite des bonnes performances.

N'ayez crainte. Sachez, dans un premier temps, que les gens à qui on fait confiance ont tendance à donner le meilleur d'eux-mêmes afin de prouver qu'ils la méritent. Ils souhaitent que ce geste de confiance soit éventuellement répété et ils agissent en conséquence.

Ensuite, si vous avez bien su leur indiquer la voie (chapitre trois), ils sont au fait des valeurs qu'ils doivent respecter, des indicateurs de performance à privilégier et du futur souhaitable qu'ils contribuent à cocréer. Ils bénéficient donc de guides qui les aideront à faire preuve d'initiative sans perdre de vue ce qui importe.

Rien ne vous empêche également de limiter la portée de leur mandat quand vous le leur proposez. Celui-ci est-il un mandat à portée informative: «Trouve-moi cette information. Nous serons plus à même de prendre une décision éclairée lors de la rencontre de fin de mois» ou un mandat de recommandation: «J'aimerais que tu identifies les options qui s'offrent à nous et que tu me fasses une recommandation quand ce sera fait», ou encore un mandat exécutif: «Trouve une solution et mets-la en place le plus tôt possible»?

Soyez toujours clair concernant la portée d'un mandat. Il est très décevant pour un employé de se croire investi de tous les pouvoirs (mandat exécutif) et de réaliser que son rôle était simplement consultatif.

De même pour éviter les délais trop longs ou les dépassements de coûts, balisez les mandats en étant bien clair sur les attentes, les ressources disponibles et l'échéancier à respecter.

En appliquant également les conseils que vous trouverez au chapitre suivant, vous éviterez qu'ils fassent preuve d'autocensure en zone d'incertitude et, finalement, en respectant les conseils du chapitre six, vous assurerez un développement continu de leurs talents afin de les rendre capables d'assumer des mandats de plus en plus exigeants.

Ce n'est pas parce que vous cédez un peu de pouvoir que la fin du monde arrivera. Restez zen. Plus vous déléguerez, plus vous aurez du temps pour exécuter la tâche qui vous revient prioritairement : préparer l'avenir et jouer les chefs d'orchestre.

## PARTAGER LE POUVOIR, C'EST ÉGALEMENT QUITTER SA TOUR D'IVOIRE

Quand il appert qu'une décision aura un impact sur la vie de vos employés, ceux-ci devraient être consultés. Je sais, consulter ralentit le processus décisionnel et peut vous faire perdre des occasions d'affaires mais, au bout du compte, vous améliorez la qualité des décisions parce que cela vous permet de tenir compte de facteurs auxquels vous n'auriez peut-être pas pensé. Vous ne savez pas tout et ceux qui vous entourent ont des expertises et des opinions différentes des vôtres. Pourquoi vous en priver ?

D'autant qu'en sollicitant leur opinion, vous les rendez solidaires de la décision que vous prendrez éventuellement puisqu'ils y auront contribué. À ce sujet, nous aborderons d'ailleurs la notion de respect au chapitre sept.

Vous pouvez également solliciter leur opinion afin d'améliorer la satisfaction de vos clients. Que diriez-vous de tenir des réunions où vous ne poseriez qu'une question à vos employés avant de vous taire et de prendre des notes ? Cette question pourrait être par exemple : « Si vous étiez client chez nous et que vous aviez le pouvoir de changer une seule chose dans votre expérience avec nous, que serait-elle ? »

Vous serez surpris de toutes les idées qui jailliront et vous permettront d'enclencher un processus d'amélioration continue. Remarquez que vous devez écouter les réponses sans vous défendre, sans jeter le blâme et sans ridiculiser les opinions émises. Vous fermeriez alors les vannes de la créativité et de la participation.

Réinventez la légendaire boîte à suggestions des employés en l'intégrant à votre intranet et permettez à chacun de vous dire, anonymement s'il le souhaite, ce que vous pourriez faire pour améliorer l'organisation. Ensuite, lisez ces commentaires et agissez. En effet, constater qu'on s'est donné la peine de contribuer et que rien n'a bougé, ou que personne n'a vraiment réagi, n'incite pas à la performance.

Google va plus loin et demande à ses ingénieurs de passer 20 % de leur temps à travailler sur des projets personnels susceptibles de faire avancer l'entreprise. Ces gens s'investissent et contribuent à rendre l'entreprise plus riche encore.

Finalement, ne tombez pas dans le piège de vous faire conseiller seulement par des gens avec qui vous avez des affinités. Vous donneriez l'impression d'entretenir une cour et d'être déconnecté des autres. C'est d'autant plus vrai que les gens de nationalités diverses, de cohortes générationnelles ou de spécialités différentes peuvent être à l'origine d'idées qui permettront à votre organisation de faire des pas de géant.

Promenez-vous. Abordez les gens en plein travail et demandez-leur ce que l'entreprise pourrait faire pour devenir meilleure. Vous risquez de vous retrouver avec des idées d'amélioration de produit, d'amélioration de la relation avec la clientèle, de fidélisation des employés, de réduction des bris, etc.

Quand les gens s'ouvrent à vous, écoutez vraiment. N'interrompez pas. Hochez la tête et ne vous placez pas sur la défensive. Ce que cette personne vous raconte actuellement correspond à sa perception, à sa réalité. Ce n'est pas le temps de lui dire qu'elle a tort, car vous mettriez un terme au flot de ses propositions. Ce n'est pas le temps non plus de texter, de prendre vos courriels ou de laisser votre regard se perdre dans le décor.

Finalement, n'oubliez pas, si vous mettez une recommandation en œuvre, de rendre hommage à la personne qui en est à l'origine si celle-ci est couronnée de succès. Il faut rendre à César ce qui appartient à César et si vous ne le faites pas, vous venez de semer le ressentiment et la désillusion chez cet employé. Vous venez de fermer à double tour votre accès à sa créativité. Vous venez de vous tirer dans le pied.

## LES GENS VONT DÉFENDRE UNE ORGANISATION QU'ILS ONT CONTRIBUÉ À CRÉER

Lorsqu'on se fait imposer des décisions, il devient facile de ne pas se sentir impliqué si le projet s'avère un échec. Il peut même être tentant de s'en réjouir. Vous avez sûrement déjà entendu ce genre de commentaires :

- *Le siège social est tellement déconnecté. Je savais que ça ne fonctionnerait pas.*

- *J'avais dit à Nathalie que c'était voué à l'échec. Personne ne m'écoute jamais.*

- *Ils auraient dû prévoir comment réagirait le syndicat. C'était tellement clair.*

- *D'entrée de jeu, je n'aurais pas choisi cette technologie.*

- *Je suis content que ça lui pète dans la face. La prochaine fois, ils nous demanderont notre opinion.*

Cette attitude passive tend à disparaître quand un leader partage vraiment son pouvoir. Les décisions prises deviennent alors celles de tous les gens impliqués. Cette organisation, c'est la leur, et ils sont prêts à la défendre bec et ongles.

Plus question de rester passifs. Ils vont défendre ce qu'ils ont contribué à créer et ils seront prêts à fournir cet effort ultime qui transformera cet échec appréhendé en succès retentissant.

Si vous écoutez vraiment les gens impliqués dans votre organisation, ils vous apprécieront davantage, ce qui fera grandir encore plus leur envie de travailler à vos côtés. Dans un monde vieillissant où les employés compétents sont de plus en plus rares, vous ne pouvez vous passer de gens fidèles et allumés.

De plus, la culture ambiante a généralement le dessus sur la stratégie. Vous pouvez avoir la meilleure stratégie au monde, si vos employés ne sont pas allumés, le succès n'est pas garanti. Par contre, avec des employés allumés, vous pouvez vous permettre quelques erreurs de stratégie parce que leurs efforts les compenseront favorablement.

Vous n'avez pas à tout savoir. Loin d'être un signe de faiblesse, c'est un signe de grande force quand un leader accepte le fait qu'il n'est pas omniscient.

## CHAPITRE CINQ

# Êtes-vous prêt à féliciter les échecs?

*Le succès, c'est aller d'échec en échec
sans y laisser son enthousiasme.*

– WINSTON CHURCHILL

Cette citation de Churchill n'est pas aussi légère qu'elle peut sembler. Il ne s'agit pas d'une simple boutade. Une seule voie s'offre à l'individu qui cherche à devenir meilleur: celle des essais et erreurs. On pose un geste et on réalise qu'il nous aide à aller de l'avant. On en tire une leçon et on se promet de le répéter. Dans le même ordre d'idées, on pose un geste et il s'avère une erreur. On en tire une leçon et on se dit qu'on ne le posera plus. Dans les deux cas, nous avons grandi et nous sommes devenus plus sages.

On ne peut devenir meilleur si on s'empêche de grandir. Cela vaut pour vous comme pour vos employés. Dans ce chapitre, nous verrons comment cette ouverture à l'erreur vous permettra d'allumer les gens que vous dirigez et de hausser la performance de votre équipe de plusieurs crans.

## DÉBUTONS SUR UNE NOTE PERSONNELLE

Imaginons un instant que vous revenez de vacances. Vous avez décompressé. Vous vous êtes ressourcé. Et, surtout, vous avez eu une tonne d'idées pendant ces instants bénis. Voici ce que je pourrais vous dire :

> «Vous avez passé de belles vacances. Vous avez vraiment décroché et vous revenez avec des idées plein la tête et une énergie qui ne vous était plus familière. Lors de cette journée passée sur la plage, vous vous êtes dit que vous devriez faire plus attention à votre corps. Lors de cette visite au musée, vous avez pensé que vous devriez vous mettre à l'aquarelle. Lors de l'ascension de cette montagne, vous avez eu comme une illumination sur la trajectoire que devrait prendre votre entreprise si elle souhaite prospérer. Et ce spectacle vous a rappelé que, tout petit, vous rêviez de chanter.»

Que de beaux projets à mettre en œuvre! Mais vous vous dites aujourd'hui que tout cela n'était que fadaises, que vous vous êtes laissé emporter par l'ivresse des vacances et qu'il est temps de revenir sur terre. C'est bien beau les folies de vacances, mais il y a un temps où il faut revenir à la réalité.

En effet, de quoi aurez-vous l'air si vous n'arriverez pas à vous remettre en forme? Que diront les gens si vos premières aquarelles ne sont pas à la hauteur de celles que vous avez vues au musée? Et si vos projets d'affaires étaient rapidement démolis par votre patron? Et si le prof de chant vous annonçait que, pour vous, c'est peine perdu?

Lors d'une entrevue, Michael Jordan, celui que la BBC considère comme le plus grand joueur de basketball de l'histoire, se confiait ainsi : «J'ai raté plus de 9000 tirs dans ma carrière. J'ai raté presque 300 matchs. À 26 occasions, j'ai raté le tir qui nous aurait permis de gagner. Et j'ai raté des tas d'autres choses dans ma vie. C'est la raison pour laquelle je réussis.»

Si vous reprenez votre vie comme vous l'avez laissée, dans un an elle ressemblera à ce qu'elle était avant vos vacances. Ces idées que vous avez eues au cours des dernières semaines, c'est votre personnalité qui crie à l'aide. Donnez-leur la chance de s'exprimer!

Elles ne seront pas toutes couronnées de succès. Elles ne vous mériteront pas toutes des ovations. Mais chacune vous rapprochera du succès et de ce que vous êtes vraiment. Le reste de votre vie n'a pas à être la copie conforme du passé.

Prouvez-vous que les défis ne vous font pas peur. Démontrez à vos collègues que vous n'êtes pas prisonnier du *statu quo*. Faites grandir les talents qui sommeillent encore au fond de vous.

Nous avons tous des talents (nous en parlerons davantage au cours du prochain chapitre), mais ceux-ci resteront latents tant qu'on ne leur donnera pas une chance de s'exprimer. Et c'est ridicule de ne pas tenter sa chance sous prétexte qu'on risque de se tromper au début, ce qui nous maintient dans la médiocrité et nous empêche de grandir.

Pour atteindre le succès, vous devez vous mettre la tête sur le billot. Parfois, les choses fonctionneront et à d'autres moments, vous connaîtrez l'échec. C'est normal. C'est ainsi qu'on apprend.

Je lisais récemment l'autobiographie de Keith Richards, le légendaire cofondateur des Rolling Stones. Dans celle-ci, il explique qu'il a été fort chanceux de ne pas avoir assez d'argent au début pour se procurer une guitare électrique de haut niveau et qu'il a dû se contenter d'une guitare acoustique bon marché. Il explique que celle-ci lui a permis de faire ses classes car, dans ses mots, il faut commencer au bas si on souhaite se rendre au sommet. En débutant trop haut, on risque de faire du surplace.

## IL EN VA DE MÊME DE VOS EMPLOYÉS

Vos employés ne sont pas là pour faire du surplace. Pour se sentir allumés, ils ont besoin de savoir qu'ils grandissent, qu'ils deviennent meilleurs. Comme ces scouts qui, jadis, s'encourageaient à mesure qu'ils accumulaient des badges, ils ont besoin de se sentir valorisés, de sentir qu'ils accumulent les succès, qu'ils acquièrent de nouvelles compétences qui les rendent capables de faire face à de plus grands défis de mois en mois.

Cela implique nécessairement qu'ils commettent des erreurs de temps à autre. Sinon, comment voulez-vous qu'ils tirent les leçons nécessaires à leur apprentissage ?

Mais imaginons que, pour ne jamais risquer de perdre la face, ils décident de ne jamais commettre d'erreurs. Comment devront-ils agir ? En suivant aveuglément les règles, en ne dérogeant pas à ce qu'on leur a appris lors de leur formation et en cachant toutes les fois où ils ne sont pas à la hauteur.

Est-ce de ce genre d'employés dont vous avez besoin ? De gens apeurés qui, pour ne pas risquer l'erreur, s'en tiennent au cadre établi et ne recourent jamais à leur créativité ou à leur capacité de se remettre en question ? De gens qui, si une situation nouvelle se présente, réfèrent le problème à un superviseur de crainte de se tromper ? Ce n'est pas ainsi que vous vous entourerez de gens allumés... Vous vous créerez plutôt un bataillon d'automates sans intelligence propre qui ne pourront pas vous aider à relever les défis de ce siècle.

Non. C'est la raison pour laquelle, au lieu de les sanction-ner, vous devriez plutôt apprécier les erreurs. Un employé a fait une erreur en tentant de satisfaire un client en colère? Au lieu de le traiter de tous les noms, félicitez-le. Un autre a com-mis une bévue en pensant améliorer un processus, remer-ciez-le et allez de l'avant. Les gens allumés ont besoin de tester, de créer, de tenter des choses. Si vous les en empê-chez, vous allez les éteindre. Or, vous n'avez aucunement besoin de gens éteints autour de vous.

### UN CAMP D'ENTRAÎNEMENT

Naturellement, il y a des erreurs que vous ne souhaitez pas voir se perpétuer chaque fois que vous engagez un nouvel employé. Les erreurs de base d'un employé à l'accueil, par exemple. C'est pour cette raison que vous avez mis sur pied un programme de formation.

Pendant cette formation, vos nouvelles recrues vont faire beaucoup d'erreurs. Dans un premier temps, elles les feront en simulation, avec le formateur. Dans ce cas, les erreurs pré-senteront moins de conséquences. Dans un deuxième temps, la recrue sera invitée à faire son travail en temps réel sous l'œil attentif de son formateur (coach, mentor, chef d'équipe, etc.).

Ce qui importe à ce moment-là, c'est de considérer les erreurs comme étant normales. Le pire qui puisse arriver, c'est que le formateur pense autrement et qu'il dise à la nou-velle recrue à quel point elle est incompétente. Les erreurs permettent d'apprendre. L'apprentissage nous rend capable par la suite de devenir meilleur. Le but de la formation ne con-siste pas à faire accepter par le nouvel employé qu'il est un imbécile. Elle constitue un camp d'entraînement qui lui per-mettra de donner une bonne performance dès qu'il sera ter-miné.

D'ici là, on se fout des erreurs. On est là pour apprendre. Ensuite, les erreurs commises signifieront que cet employé a souhaité aller plus loin. Ce faisant, il risque de découvrir de belles choses.

## LA RICHESSE DES ERREURS

Connaissez-vous le mot anglais *Serendipity*? Ce terme sous-entend la découverte, par accident, de choses heureuses. Il implique que vous cherchez quelque chose que vous connaissez ou que vous croyez connaître, mais vous trouvez autre chose; au lieu d'être déçu, vous poursuivez votre exploration et réalisez que ce que vous venez de découvrir en vaut vraiment le coup.

Par exemple, vous partez à la recherche de la route des Indes, mais vous vous retrouvez sur un tout autre territoire. Plutôt que de vous sentir abattu, vous entreprenez de l'explorer et vous venez de découvrir les Amériques.

Il y a tant de choses qui ont été découvertes par erreur. Alexander Flemming n'aurait jamais découvert la pénicilline si son échantillon de bactéries n'avait pas été contaminé. Il en va de même du velcro, des post-its (une colle qui ne collait pas vraiment), de la dynamite ou du laser. Pourtant, ces erreurs ont rendu des organisations prospères.

Prenez l'habitude de rappeler ces exemples à vos gens. Racontez-leur également les occasions où des erreurs vous ont permis d'aller plus loin. La vie est un long apprentissage. Il importe que tout cela soit transmis.

## UN COACHING APPROPRIÉ

Après la formation, il arrivera que des erreurs soient commises et, à ces moments-là, une rencontre avec vous (ou avec un de vos gestionnaires) sera de mise. Lors de ces rencontres, le ton ne devrait pas être celui des remontrances. Si l'erreur a été commise dans un contexte de bonne volonté, une discussion de type socratique s'impose.

Loin d'être accusateur, le langage de l'accompagnateur devrait aider l'employé à tirer ses propres conclusions de l'événement. Des questions comme celles qui suivent peuvent aider :

- *Que pensais-tu réaliser en agissant de la sorte ?*

- *Quelle était ton intention ?*

- *Quels ont été les impacts ?*

- *Quelle leçon en tires-tu ?*

- *Cette situation nous propose-t-elle d'autres enseignements ?*

- *Ces conclusions pourraient-elles nous indiquer la voie vers d'autres questions ?*

Au départ, considérez pour acquis que l'erreur n'était pas souhaitée et explorez ce qu'elle peut receler comme enseignement. Vous venez peut-être de découvrir le prochain velcro ou le prochain post-it, qui sait ?

Les gens ne dévient pas des méthodes qui leur ont été enseignées par simple distraction. Ils le font parce qu'ils se posent des questions, parce qu'ils cherchent de meilleures façons d'accomplir les tâches. Et s'ils le font, c'est qu'il y a probablement des choses qui méritent d'être améliorées.

Comme dans la vie personnelle, la quête de cette meilleure pratique ne peut s'effectuer que par essais et erreurs. Bravo à la personne qui ose le faire[2] !

## ADMETTEZ VOS PROPRES ERREURS

Pourquoi ne commenceriez-vous pas par donner l'exemple ? Au lieu de taire la chose et d'exiger l'omerta si une de vos idées s'avère un échec, avouez-le candidement. Expliquez quelle était la décision, sur quoi vous vous étiez basé pour la prendre, quels impacts elle a eus et ce que vous en retirez comme leçon. Présentez cela d'une manière positive. Vous avez appris et vous pourrez dorénavant aller plus loin grâce à cet apprentissage. Une hypothèse vient d'être invalidée.

Vous avez imposé à vos troupes un changement qui s'est avéré une erreur ? Ne mettez pas le couvercle sur la marmite. Admettez-le et demandez à chacun quelles leçons peuvent être tirées de cette mésaventure. Grâce à elle, vous êtes peut-être aux portes d'un grand succès !

Les gens se permettront plus aisément d'être imparfaits si vous le faites également. Donnez l'exemple. On ne peut devenir sage que par essais et erreurs. Vous ne souhaitez pas gérer des personnes qui restent assises sur leur derrière de peur de faire la moindre erreur. Vous souhaitez pouvoir compter sur des troupes qui ont à cœur de mettre à profit leur créativité, leur désir d'aller plus loin et leur curiosité. Cela suppose que vous saurez féliciter les erreurs commises dans un tel état d'esprit.

---

2. Cela ne veut pas dire que vous devez fermer les yeux sur les erreurs commises volontairement. Celles-ci relèvent de la gestion des ressources humaines. Pour aller plus loin sur ce sujet, lisez *Comment devenir un meilleur boss*.

## CHAPITRE SIX

# Êtes-vous prêt à les mettre en valeur?

*Chaque bloc de pierre contient une statue*
*et c'est au sculpteur qu'il revient de la découvrir.*

– MICHEL-ANGE

Cette citation de Michel-Ange dresse admirablement bien la table pour ce sixième chapitre. Vos employés auront beau avoir tous les diplômes à la mode, ils auront beau avoir travaillé chez vos concurrents, cela ne veut pas dire qu'ils sont prêts à relever tous les défis. Ils sont comme ce bloc de pierre que décrit Michel-Ange. Pour en tirer le meilleur, il vous revient de découvrir la statue qui se cache en eux.

Un nouvel employé doit être perçu comme un diamant à l'état brut. Il est beau et il vaut cher, mais s'il est bien travaillé (taillé, poli, etc.), sa valeur pourrait être multipliée par mille!

### VOUS ÊTES UN AGENT D'ARTISTE

En tant que patron, vous êtes agent d'artiste. Et que fait un agent d'artiste quand il déniche un talent prometteur? Il commence par tenter de découvrir ce qui se cache d'unique en lui parce que c'est là-dessus qu'il va construire la marque de son nouveau protégé. C'est la première étape.

Ensuite, puisque nul n'est parfait, il lui offre de la formation supplémentaire et travaille son look. Il a une belle voix, mais elle a besoin d'être améliorée. Un peu d'orthodontie le fera paraître plus sympathique. Et un styliste donnera à sa garde-robe un look plus actuel. C'est la deuxième étape.

Arrive ensuite le temps de choisir une première salle. Naturellement, il ne misera pas sur le Centre Bell dès le début. L'artiste ne peut pas encore compter sur une base de fans suffisamment grande et, de plus, sa technique de scène reste à développer. On lui choisira de petites salles (voire des microsalles) et on deviendra plus ambitieux avec le temps, à mesure qu'il deviendra meilleur. C'est la troisième étape.

Il pourrait également arriver que l'artiste prenne un envol tel que son agent ne puisse pas suivre. Imaginez que l'artiste ait des ambitions planétaires tandis que son agent ne souhaite pas investir en pays étrangers. Il faudra alors qu'il se trouve un agent de calibre international. C'est la quatrième étape.

Il ne viendrait jamais à l'esprit d'un agent d'artiste de lui voler la vedette. Il sait que son protégé doit briller sous les feux de la rampe. Il sait aussi qui doit rester dans l'ombre. Il connaît sa place et il a compris que son artiste a besoin d'applaudissements pour rester motivé et être prêt à se dépasser chaque soir.

Ce chapitre suivra la même séquence parce que vous êtes l'agent de tous ceux qui ont accepté de travailler pour vous.

## LA PREMIÈRE ÉTAPE :
## QU'EST-CE QUI LE REND UNIQUE ?

Nous avons tous des talents naturels et la science a démontré que nous performons au maximum et que nous nous sentons mieux quand nous les utilisons chaque jour. Au contraire, le fait de devoir jouer un rôle et d'utiliser des talents qui ne nous sont pas naturels nous demandent plus d'énergie pour une performance moindre.

Par exemple, vous rendrez cet employé extraverti malheureux si vous l'enfermez à longueur de journée dans un bureau fermé. Vous n'obtiendrez pas grand succès si vous vous entêtez à faire préparer les conciliations bancaires par cette personne qui n'a pas le souci du détail. Cet introverti super gêné ne fera pas long feu chez vous si vous lui demandez de harceler les clients mauvais payeurs. Un bon leader prend le temps de découvrir ce qui se cache comme talents innés en chaque employé et il se demande ensuite quel poste et quels défis lui conviendront le mieux. Parce qu'il souhaite les faire briller. Ce sont eux les vedettes, pas lui.

Comment pouvez-vous découvrir les talents qui se cachent chez vos employés ? Trois méthodes s'offrent à vous.

- *La première:* vous pouvez simplement les observer. À quel moment prennent-ils leur envol et performent-ils de manière optimale ? En quoi excellent-ils ? Ne vous entêtez pas à confiner quelqu'un dans une fonction où il ne brillera pas. Vous le condamneriez à la médiocrité.

- *La deuxième:* vous pouvez leur demander à quels moments ils se sentent à leur meilleur, ce qu'ils préfèrent dans leur travail ou de quelles réalisations ils sont particulièrement fiers. Demandez-vous ensuite comment vous pourriez les aider à vivre ces moments plus souvent.

* *Finalement, la troisième :* vous pouvez leur faire passer un test. Vous trouverez plus d'information à ce sujet en consultant le livre *Comment exploiter mes employés.*

La leçon de cette première étape est simple : il faut placer les gens au bon endroit. Malgré leur talents, ils ne peuvent pas briller dans tous les postes.

## LA DEUXIÈME ÉTAPE :
## L'AMÉLIORATION DES COMPÉTENCES

Avoir un talent naturel ne suffit pas. Ce n'est pas parce que vous savez vous y prendre avec les gens que vous serez nécessairement un bon vendeur. Ce n'est pas parce que vous êtes le meilleur programmeur que vous arriverez à faire passer votre point de vue en réunion. Ce n'est pas parce que vous êtes un excellent opérateur que vous saurez gérer les conflits.

Un bon leader évalue constamment ses troupes et leur offre des occasions d'amélioration adaptées à leurs besoins. Ces formations peuvent prendre plusieurs visages.

* *Le mentorat.* On demande à un employé maîtrisant la compétence identifiée d'accompagner son collègue et de lui faire les suggestions d'amélioration appropriées. De cette manière, l'apprenant est rapidement mis au fait des meilleures pratiques d'affaires.

* *L'auto-apprentissage.* Il y a des entreprises qui prennent le temps de développer des modules de formation disponibles en ligne et qui encouragent les employés à y travailler un certain nombre d'heures par semaine.

- *La formation ponctuelle.* La formation dont a besoin cet employé est peut-être dispensée par une maison d'enseignement ou par un formateur privé. Renseignez-vous.

- *La formation de groupe.* Si un besoin est généralisé parmi vos troupes, il peut être avantageux de demander à un formateur ou à un conférencier de venir leur présenter une formation adaptée à leurs besoins. D'autant plus qu'une intervention de groupe permet la création d'un vocabulaire partagé.

- *Le coaching personnalisé.* Vous pouvez également prendre sous votre aile un employé et le rencontrer une quinzaine de minutes chaque semaine. Profitez-en pour lui suggérer où vous souhaitez le voir investir des efforts particuliers durant cette semaine. Demandez-lui comment s'est passée sa semaine. Au besoin, suggérez-lui la lecture d'un livre et demandez-lui ce qu'il en a pensé.

Vous souhaitez que votre employé brille et se sente fier de s'améliorer un peu chaque jour. Prenez donc le temps de le féliciter chaque fois que vous constatez que les formations ont porté fruit et qu'il est maintenant plus performant. Vous le motiverez encore davantage.

## LA TROISIÈME ÉTAPE :
## L'INCRÉMENTATION DES DÉFIS

Vous souhaitez que votre employé brille, mais vous ne voulez pas qu'il se casse la gueule. Tout comme l'agent d'artiste qui commence par viser de petites salles, vous allez faire de même avec l'importance des défis que vous offrez à vos employés. Débutez donc par des mandats simples afin qu'il maîtrise peu à peu les rouages du métier.

Mais n'en restez pas là ! Pourquoi ? Parce que, aussi talentueux soit-il, votre employé a besoin de grandir, de devenir meilleur, de développer ses talents. Si vous le laissez enfermé dans des mandats qu'il peut accomplir les doigts dans le nez, il finira par se sentir blasé, par s'ennuyer et par se demander s'il ne serait pas temps d'aller voir ailleurs pour retrouver le sens du défi et de l'accomplissement. Aucun employé compétent n'apprécie les défis si ridicules qu'ils le rendent apathique.

Les gens ont besoin de défis à la hauteur de leurs compétences. Demandez-leur-en trop et vous les rendrez anxieux, inquiets. Or, ces émotions négatives immobilisent et amènent souvent les gens à être moins productifs. Ne leur en demandez pas assez et vous les encouragerez à travailler sur le pilote automatique, sans se questionner.

Plusieurs ont avancé que la gestion est une science. Au contraire, c'est un art, et il vous revient de doser les défis afin de garder tous ces gens motivés. Il existe plusieurs moyens à votre portée afin d'éviter qu'un employé devienne apathique.

- *Vous pouvez augmenter les objectifs à atteindre.* Par exemple, vous vous attendrez à un chiffre de ventes plus élevé de la part d'un vendeur ayant plus d'expérience et vous confierez des manuscrits plus laborieux à un réviseur d'expérience.

- *Vous pouvez enrichir les tâches.* Vous pouvez ajouter des responsabilités supplémentaires aux employés dont la charge actuelle de travail est visiblement trop peu élevée.

- *Vous pouvez confier des projets spéciaux.* Si votre organisation n'est pas statique, les projets spéciaux devraient y être nombreux. Au lieu de les confier à des firmes externes, misez sur vos employés les plus prometteurs. Vous les préparez ainsi à des fonctions plus élevées dans l'organisation.

- *Vous pouvez offrir des promotions.* Avec une population vieillissante et des employés qui prennent leur retraite, offrir des promotions devrait devenir de plus en plus facile au cours des prochaines années.

Vous vous dites peut-être que c'est injuste d'exiger davantage d'un employé qui ne gagne pas plus qu'un autre, mais nous découvrirons au chapitre dix que c'est le traitement égalitaire qui est souvent le moins équitable. Faites en sorte que vos employés grandissent chaque jour en leur offrant des défis à leur mesure et récompensez-les à la hauteur de leurs accomplissements.

Prenez le temps de discuter avec chacun d'eux et de lui demander où il se voit dans les prochaines années. Il est possible que certains soient tentés par des postes auxquels vous n'auriez pas pensé. D'autres suivent peut-être actuellement des formations et ne vous en ont pas parlé. Où aimeraient-ils briller dans les mois et les années à venir ?

Il est évidemment plus facile de garder ses employés les plus prometteurs quand on gère une unité d'affaires qui a le vent dans les voiles. La croissance crée des opportunités. Des besoins nouveaux se présentent. Il faut ouvrir de nouvelles succursales. Mais ne vous en faites pas trop à ce sujet. Si vous arrivez à gérer des gens allumés, la croissance sera bientôt au rendez-vous. Les clients afflueront.

## LA QUATRIÈME ÉTAPE :
## L'ENVOL

Arrive finalement le moment où votre employé devient trop compétent pour le poste qu'il occupe et vous n'avez aucune promotion à lui offrir. Vous aimeriez le garder, mais vous voyez bien qu'il commence à s'ennuyer chez vous. Que faire ?

- Si vous gérez une division d'une plus grande entreprise, le temps est venu d'aller faire la promotion de cet employé ailleurs dans votre organisation. Allez cogner à quelques portes et dites que vous craignez de voir l'organisation perdre un élément de valeur si vous ne lui trouvez pas un poste motivant bientôt. Qui sait ce que vous pourriez lui dénicher.

- Vous pourriez également l'identifier dans votre plan de relève et commencer à le préparer à vous remplacer. Cette stratégie pourrait vous permettre de le garder encore plusieurs années pendant que vous préparez votre éventuelle promotion ou départ.

- Vous pourriez procéder à l'acquisition d'un concurrent et lui confier les rênes de cette nouvelle entité. Après tout, si vous l'appuyez, il a maintenant toutes les compétences pour relever ce défi.

Et s'il finit tout de même par quitter vos rangs, remerciez-le pour tout ce qu'il vous a donné. Restez en contact. Il sera en mesure de continuer à vous aider dans ses nouvelles fonctions. Évitez de crier à la trahison. Évitez de crier à la défection. Il est simplement parti afin de continuer à se réaliser ailleurs. Et il vous est très reconnaissant pour tout ce que vous avez fait pour lui.

La majorité n'atteindront jamais ce niveau. Vous pourrez compter sur eux pendant des décennies. En autant que vous les mainteniez allumés. En autant qu'ils continuent à grandir sous vos ordres. En autant que vous respectiez leurs talents respectifs et que vous contribuiez à faire grandir leurs compétences.

Vous êtes un agent d'artiste. Rappelez-vous que ce n'est pas vous la vedette. J'ai vu trop de chefs d'entreprises tellement occupés à faire les pages économiques des journaux qu'ils en ont oublié que ce qu'il faut mettre en valeur, c'est leurs employés. En tant que leader, vous ne serez jamais perdant si tous vos employés brillent. Par contre, même si vous avez fait la une d'un magazine économique en vue, on vous montrera la porte si votre unité d'affaires n'est pas performante.

# DEUXIÈME PARTIE
# Offrez-leur
# un terreau fertile

Les vents du changement font davantage peur
à la plante dont les racines sont peu profondes.

– DICTON TRADITIONNEL

*Cette citation résume très bien ce que nous verrons dans cette deuxième partie. Vous aurez beau avoir des employés engagés, vous aurez beau prouver chaque jour que vous les appréciez, cela ne veut pas dire qu'ils ne prendront pas peur et qu'ils ne fuiront pas en voyant arriver le changement.*

*Dans la première partie, vous avez appris à devenir celui pour lequel on souhaite se dépasser. Vous avez appris à engager vos troupes. Mais l'engagement ne suffit pas pour traverser les changements.*

*Il existe une différence énorme entre le fait de pouvoir compter sur des employés engagés et le fait de compter sur des employés allumés. Les employés engagés font leur travail parce qu'ils souhaitent être à la hauteur du contrat qui vous lie. Les employés allumés vous en offrent plus. Parce qu'ils ont à cœur de faire une différence, ils ne se contentent pas de faire bêtement ce qui figure dans leur description de tâches. Ils sont à l'affût des gestes qu'ils pourraient poser pour mieux satisfaire la clientèle. Ils sont prêts à apprendre de nouvelles choses, à développer de nouveaux talents. Ils ont à cœur de vous offrir un effort discrétionnaire qui ne vous coûtera rien de plus.*

*Pour qu'une telle situation se produise, vous devez leur offrir plus qu'un simple emploi. Ils doivent trouver dans votre milieu de travail des raisons de prendre racine, de se soucier de votre organisation.*

*Vous avez peut-être déjà tout ce qu'il faut pour favoriser leur enracinement et leur désir de vous en offrir plus. Découvrons-le dès maintenant: pouvez-vous répondre par l'affirmative aux six questions suivantes:*

- *Le respect est-il une valeur omniprésente dans votre organisation?*
- *Les gens se font-ils mutuellement confiance dans votre organisation?*
- *Le mieux-être de chacun fait-il partie de vos objectifs stratégiques?*
- *Vos employés sont-ils fiers de leur contribution et de faire partie de votre organisation?*
- *Vos employés se sentent-ils traités équitablement?*
- *Les membres de votre organisation ont-ils du plaisir à être ensemble?*

*Bravo! si vous pouvez répondre par l'affirmative à ces six questions. Si tel n'est pas le cas, il se peut que les racines de vos employés ne soient pas assez profondes pour faire face aux vents du changement. Les chapitres de cette section vous aideront alors à renverser la tendance.*

*Remarquez que ce qui suit ne sera peut-être pas suffisant. Il n'y a rien de tel que de demander à vos gens ce qui les aiderait à faire croître leurs racines. Un lac-à-l'épaule s'impose peut-être. Divisez-les en équipes et demandez à chacune de définir ce qui pourrait constituer l'organisation idéale pour eux.*

*Par la suite, faites un tour de table et écoutez sans vous mettre sur la défensive (rappelez-vous le chapitre quatre si vous vous sentez attaqué). Vous risquez fort de vous retrouver face à la recette qui vous permettra de faire grandir la fidélité de vos troupes.*

## CHAPITRE SEPT

# Offrez-leur le respect

*Si vous avez dix mille règlements,*
*vous détruisez tout respect pour la loi.*

– WINSTON CHURCHILL

Savez-vous quel ingrédient a le plus d'impact sur le sentiment d'appartenance d'un employé face à l'organisation qui l'embauche? Ce n'est pas le salaire. Ce n'est pas la rencontre annuelle de motivation à Hawaï. Ce n'est pas le fonds de retraite. Les bénéfices marginaux ont un impact mineur. Mais qu'est-ce que cela peut bien être?

Je vous le donne en mille: la qualité de la relation avec son supérieur immédiat. Vous aurez beau offrir les meilleurs salaires et les meilleures opportunités d'accomplissement, vous risquez de perdre vos employés si la relation avec leur supérieur immédiat est de faible qualité. Et parmi les facteurs affectant cette relation, le manque de respect arrive en premier.

Le respect est un sentiment de considération et d'égard qu'on entretient envers une autre personne. Il se manifeste par une attitude de déférence et le souci de ne pas heurter inutilement. C'est une valeur plus profonde que la simple politesse, car elle suppose une absence d'hypocrisie.

Quel pourcentage de vos gestionnaires font preuve de respect à l'égard des gens qu'ils doivent diriger? Trop peu, malheureusement. Et pourtant, en matière de ressources humaines, on obtient généralement ce à quoi on s'attend. À cet égard, j'aimerais vous parler de l'effet Pygmalion.

## Misez sur l'effet Pygmalion

Selon la mythologie, Pygmalion était un sculpteur de Chypre. Un jour, il tombe amoureux de l'une de ses réalisations: la sculpture d'une femme superbe qu'il nomme Galatée. Lors des fêtes dédiées à Aphrodite, la déesse de la beauté et de l'amour, il la prie de lui donner une femme semblable à sa sculpture. Aphrodite exauce son vœu et Galatée prend vie.

En psychologie, on appelle effet Pygmalion le fait que les gens deviennent généralement ce à quoi on s'attend d'eux. Ainsi, les élèves des classes défavorisées réussiraient moins bien parce qu'on s'attend généralement à moins de leur part. L'effet Pygmalion s'applique dans toutes les sphères de la vie.

Qu'en est-il au travail? Imaginez que vous considérez un collègue comme étant incompétent. Dans votre esprit, il ne sait pas s'y prendre avec les clients et il ignore comment les satisfaire. Dans votre esprit toujours, il tourne les coins ronds quand il doit produire un rapport. Comment vous comporterez-vous avec lui?

Il est probable que, si un client important se présente, sans égard à ce que vous faites actuellement, vous vous précipiterez sur lui pour éviter que ce soit votre collègue qui lui réponde. Intérieurement, vous bouillonnerez et votre relation commune en pâtira. Avec le temps, à cause de son peu d'interaction avec la clientèle et de votre relation déficiente, il deviendra ce que vous avez décidé : un incompétent. Bravo! Tel Pygmalion, vous l'aurez transformé... pour le pire!

Imaginez maintenant que, au lieu de le voir comme un abruti, vous vous dites qu'il a un grand potentiel et que vous arrivez à voir ce qui se cache en lui. Comment réagirez-vous?

Votre attitude sera plus positive. Vous n'hésiterez pas à jouer au coach et à donner quelques conseils chaque fois que votre collègue répondra à un client. Avec le temps, il deviendra meilleur et vous pourrez vous concentrer sur vos propres tâches. Vous finirez les journées plus en forme et le climat de travail en sera fortement bonifié.

Le problème, c'est que notre attitude initiale, plus souvent négative que positive, nous amène à voir ce qui ne va pas chez les autres au lieu de regarder ce qui pourrait arriver. Il en va de même à la maison. Imaginez que votre enfant revient de l'école avec son bulletin et que, selon les matières, ses notes sont de 96 %, 92 %, 90 % et 37 %. De quelle note allez-vous lui parler en premier? Quel impact cela aura-t-il sur sa capacité à mieux étudier pour la prochaine étape? Voyez ce qui pourrait être et provoquez-le.

## LES BASES DU RESPECT

À la base, respecter quelqu'un, c'est supposer qu'il sera à la hauteur de nos attentes. C'est donner la chance au coureur. Et c'est accepter le fait que, même s'il ne réussit pas du premier coup, nous pourrons, par notre bienveillance et notre soutien, l'aider à devenir un champion.

Sans respect, il ne peut pas y avoir de confiance, et sans confiance, nous l'avons vu, un employé ne peut pas être allumé. Feriez-vous confiance à quelqu'un qui vous regarde de haut? Absolument pas.

Le respect implique également le soutien. Si vous respectez quelqu'un et qu'il est évident qu'il ne sera pas à la hauteur des attentes, vous ne souhaitez pas qu'il perde la face. Vous avez à cœur qu'il réussisse et vous vous fendez en quatre pour garantir son succès. On ne laisse pas tomber une personne qu'on respecte.

Mais cela va plus loin que d'aider quelqu'un à sauver la face. Si vous le respectez, vous souhaitez le voir briller. Vous avez à cœur de le mettre en valeur. Vous souhaitez qu'il soit bien vu des autres et vous aimeriez même l'aider à se réaliser dans les autres sphères de sa vie.

Plus encore, vous ne lui imposerez pas de mandat casse-gueule, vous savez, ces mandats impossibles à réaliser qui vont assurément se terminer par un échec... On ne piège pas des gens qu'on respecte. On n'en fait pas des boucs émissaires.

Imaginez l'impact d'un superviseur qui respecterait ainsi tous ses employés. Imaginez l'impact qu'il aurait sur ses troupes. Ses employés auraient envie de se dépasser en guise de réciprocité. De zombies à simplement engagés, ils passeraient au statut d'allumés.

## L'IMPORTANCE DE LA MUTUALITÉ

Le respect unidirectionnel n'est cependant pas suffisant pour «allumer» les gens. Il faut également que ce respect soit mutuel. Mais ne vous en faites pas: si vos superviseurs développent les qualités présentées dans la première partie de ce livre, ce type de respect est déjà acquis.

Il reste à aller plus loin et à viser le respect mutuel dans l'équipe. Comment les gens se traitent-ils entre eux? Ont-ils développé les habiletés nécessaires pour démontrer qu'ils respectent les autres membres de l'équipe? Si tel n'est pas le cas, vos gens se privent d'un outil fantastique pour faire croître les racines qui les amèneront à rester chez vous.

*Le premier outil lié au respect,* c'est l'ouverture d'esprit. Cette capacité à accepter l'idée que notre opinion préalable n'est peut-être pas la meilleure. Les gens qui font preuve d'ouverture d'esprit ne ridiculisent pas l'opinion des autres. À la place, ils demandent d'en savoir plus. Ils souhaitent comprendre et ils entrevoient la possibilité que leur première opinion ne soit pas la bonne.

*Le deuxième outil lié au respect,* c'est la rétroaction. Que penseriez-vous d'un patron qui, pour ne pas vous faire de peine, ne vous dit pas ce que vous faites de mal et tait vos faiblesses au travail. Il aura beau se montrer respectueux, vous vous direz qu'il ne fait pas son travail et qu'il vous nuit, du même coup.

Respecter quelqu'un, c'est lui assurer une rétroaction sincère. Ce n'est pas taire ses faiblesses de peur de le peiner. Ce n'est pas non plus réduire ses attentes pour qu'un employé soit à la hauteur. C'est lui dire ce qu'il en est et le respecter assez pour lui proposer des pistes d'amélioration. C'est être prêt à s'investir pour qu'il devienne meilleur. C'est faire preuve de courage.

*Le troisième outil lié au respect,* c'est la collaboration et notre attitude face aux autres. Par définition, une équipe est constituée de gens DIFFÉRENTS. Il est donc normal que ceux avec qui on travaille n'aient pas les mêmes références, les mêmes compétences ou les mêmes *a priori*. Ils sont là pour vous compléter et vous devez les percevoir comme tels. Non pas comme des gens qui ne possèdent pas votre savoir, mais comme des gens susceptibles de combler vos zones plus faibles.

Pour y arriver, il faut développer un regard inclusif. Au lieu de regarder ce qui manque chez les autres, il faut être à l'affût des compétences, des valeurs et des talents qu'ils recèlent. Votre nouveau collègue ne sera pas nécessairement la copie conforme du collègue idéal que vous voudriez voir arriver dans votre équipe, mais un regard inclusif vous permettra d'aller chercher ses forces et de pouvoir miser sur celles-ci.

*Le quatrième outil lié au respect,* c'est la capacité de réprimander sans accuser. Il est tellement facile d'accuser l'autre quand ses performances ne sont pas à la hauteur des attentes. Mais se pourrait-il que quelque chose ait été oublié pendant la formation de cet employé? Quelque chose qui aurait pour impact de nuire à sa performance actuelle et de faire chuter le respect que son patron ou ses collègues lui portent?

*Le cinquième outil lié au respect,* c'est l'inclusion. Imaginez que vous fassiez partie d'une équipe et qu'on profite de votre absence pour prendre une décision qui aura un impact important sur votre travail. N'aurait-il pas mieux valu qu'on vous attende et qu'on demande votre opinion avant de statuer? Au temps de la préhistoire, la pire pénitence était le bannissement. C'est ce que vous faites quand vous ignorez quelqu'un et que vous prenez une décision qui aura un impact négatif (ou même positif) sur sa performance.

L'inclusion, c'est également prendre le temps de demander l'opinion de tous, même de cet introverti qui n'arrive pas à parler parce que certains prennent toute la place. En ce sens, une bonne formation en travail d'équipe peut être nécessaire.

Ce ne sont pas nécessairement ceux qui parlent haut et fort qui ont raison.

*Le sixième outil lié au respect,* c'est l'écoute. Imaginez l'impact si, pendant que je parle, vous prenez vos courriels, vous dessinez sur votre tablette ou vous échangez des blagues avec un collègue. Sans le verbaliser, vous venez de me communiquer le fait que ce que je dis n'a pas d'importance et que vous vous en foutez.

## LA BIENVEILLANCE

Le respect implique également la bienveillance, c'est-à-dire l'entretien d'une disposition favorable envers tout le monde. Vous êtes bienveillant quand vous faites en sorte que la vie des gens soit meilleure grâce à vous.

Il importe, dans un premier temps, d'offrir à l'employé un environnement qui lui permettra de faire son travail sans risque d'accident, sans mettre sa vie en danger et sans lui imposer de futurs problèmes de santé.

Mais la bienveillance va bien plus loin. Il faut voir l'employé pour ce qu'il est, un être humain complet qui a ses préoccupations et une vie en dehors du boulot. On ne peut pas, aujourd'hui, compartimenter la vie personnelle et la vie au travail. Le patron respectueux doit être prêt à des accommodements visant une meilleure conciliation travail-famille.

C'est une préoccupation supplémentaire, mais cela permet de réduire le niveau de stress de l'employé et de renforcer son attachement à l'organisation. De plus, le respect entraîne le respect.

## Vous êtes un modèle

Pour que les membres d'une organisation soient allumés, le respect doit donc y être omniprésent et c'est une responsabilité partagée par tous. Cependant, en tant que leader, vous donnez l'exemple. Vous aurez beau leur offrir tous les cours du monde, placer des affiches vantant le respect dans la salle des employés ou choisir ce thème lors de votre prochain congrès, c'est d'abord vous qui donnez le pas. Je vais terminer ce chapitre avec quelques mises en garde allant dans ce sens.

Je sais qu'il y a des clients plus lents que d'autres, mais ce n'est pas une raison pour leur manquer de respect. Quand vous en ridiculisez un, vous encouragez tout le monde à faire de même. Rapidement, le cynisme sera installé et les relations avec la clientèle iront de mal en pis.

L'humour constitue un très beau talent, mais il existe plusieurs types d'humour. Évitez celui qui mise sur les faiblesses des autres. Si vous souhaitez rire de quelqu'un, riez de vous-même.

Ne participez pas aux séances de potinage, de «parlage» dans le dos ou de médisance. En le faisant, vous les légitimez. Or, tout ce qui peut réduire la crédibilité d'un membre de votre organisation nuit directement à celle-ci.

Comme le veut l'expression, «chez un patron, les bottines doivent suivre les babines»! On ne peut pas imposer une valeur si on n'en est pas soi-même un exemple probant. Et pour compter sur des employés allumés, le respect n'est pas optionnel. Faites-en un mantra personnel.

CHAPITRE HUIT

# Offrez-leur la possibilité de vous croire

*Je me fous de la motivation.*
*Je me préoccupe de la crédibilité.*

– ELIOT SPITZER

Au moment où j'écris ces lignes, le Québec est plongé dans une lutte électorale et la firme Léger Marketing annonce que 86 % des Québécois considèrent que la corruption est un problème majeur au Québec[3]. 86 %! Imaginez les impacts sur la population : cynisme, désobéissance civile, perte de confiance en l'avenir, désengagement, etc. Quand la classe politique perd sa crédibilité, c'est l'édifice social au complet qui est en danger.

Le monde corporatif a également connu son lot de scandales au cours des dernières années. Qu'on pense à Enron. Qu'on se rappelle le sauvetage de compagnies avec de l'argent public, argent qui était aussitôt utilisé pour verser de

---

3. http://tvanouvelles.ca/lcn/infos/national/archives/2012/08/2012 0806 - 000001.html.

généreuses primes à de mauvais dirigeants. Qu'on pense aux accusations de corruption dans l'industrie de la construction.

Force est de constater que nous vivons présentement un déficit de crédibilité. Pourtant, les gens ont besoin de croire en quelque chose, en quelqu'un. Vous pouvez être le phare qui leur communiquera que la crédibilité est encore possible. Si vous y parvenez, ils seront davantage allumés. Si vous n'êtes pas crédible, vous risquez également le cynisme, la désobéissance et le désengagement.

## Qu'en est-il de votre intégrité?

Pour que l'on croie en votre discours, vous devez, dans un premier temps, devenir prévisible. Prévisible? me dites-vous. Mais notre industrie est en complet changement! Nous devons bouger pour rester en vie. Nous devons penser autrement et agir autrement. Comment voulez-vous que je sois prévisible dans ces conditions?

Ce n'est pas de cela dont il s'agit. Même dans le changement, un leader peut rester prévisible. Il suffit qu'il ne change pas ses valeurs selon les situations. Vous privilégiez l'honnêteté? Si vous êtes intègre, vous ne dérogerez pas à cette valeur, peu importe la situation. Un leader crédible ne change pas ses valeurs selon son humeur. Il leur reste fidèle et, ce faisant, il encourage toute son équipe à les adopter.

Comment cela peut-il se faire au quotidien? Premièrement, vous pouvez rappeler les valeurs qui vous animent quand vous annoncez une décision. La répétition aura ici un caractère pédagogique. Vous pouvez également prendre l'habitude de féliciter les personnes qui agissent en étant fidèles aux valeurs de votre organisation.

Mais, plus encore, assurez-vous de vous imposer ce que vous imposez aux autres. Un leader intègre n'est pas du genre à dire *faites ce que je dis, ne faites pas ce que je fais*. S'il demande aux autres de se serrer la ceinture, il se l'impose également. Il donne l'exemple.

Il y a quelques années, j'ai fait une intervention dans une importante entreprise qui avait des problèmes de santé-sécurité au travail. On avait imposé une limite de 25 km/h sur les terrains entourant l'usine, mais personne ne la respectait. Jusqu'au jour où on a réalisé que les patrons ne la respectaient pas non plus. La haute direction a émis une directive aux gestionnaires qui s'y sont soumis immédiatement. Du coup, le reste des employés se sont adoptés. On ne demande pas aux gens de faire des choses qu'on n'est pas soi-même prêt à faire.

L'intégrité, c'est quand nos bottines suivent nos babines. Si vous êtes du genre à oublier vos engagements ou à promettre n'importe quoi pour obtenir une vente en vous disant que vous ferez ce que vous voulez par la suite, vous n'êtes pas intègre et les gens auraient tort de vous faire confiance.

L'intégrité, c'est quand les slogans commerciaux riment avec les agissements quotidiens. Vous ne serez jamais crédible si, dans les faits, vous demandez à vos troupes d'agir autrement que ce que vous annoncez publiquement. L'intégrité, c'est la base de la crédibilité organisationnelle.

### QU'EN EST-IL DE VOTRE IMAGE D'APPRENANT ?

Avez-vous arrêté d'apprendre la journée où vous avez été nommé patron ? C'est le cas de trop de gestionnaires. Une fois nommés, ils cessent de se questionner et ils agissent comme si l'univers était statique. Ils ne suivent pas de formation. Ils ne lisent pas de publications économiques ou secto-rielles. Leur savoir est figé dans le temps.

Ensuite, ils s'étonnent qu'on ne les croie pas quand ils annoncent l'importance de tel ou tel changement! Les gens ne se lanceront pas dans un projet de changement si vous leur dites que vous appuyez vos paroles sur un rêve que vous avez eu la nuit dernière. Ils souhaitent vous sentir branché.

Pour cette raison, vous devriez vous doter d'un plan de formation continue annuel. Celui-ci devrait inclure au moins trois choses :

1. *Abonnez-vous!* Il existe sûrement quelques publica-tions phares concernant votre secteur d'activité. Abon-nez-vous ET lisez-les.

2. *Formez-vous!* Y a-t-il des colloques ou congrès organi-sés par votre association sectorielle? Tenez-vous au courant des tendances, des occasions et des menaces qui planent sur votre organisation.

3. *Réseautez!* Ne vivez pas en vase clos. Profitez des activités de réseautage avec des fournisseurs, des clients et même des concurrents. Partagez vos ques-tionnements. Il se peut fort bien que vous entriez en contact avec quelqu'un qui a vécu vos problèmes actuels dans le passé. Il vous dira peut-être ce qu'il a fait pour surmonter ces obstacles.

Ces événements vous offrent des moments pour décon-necter, vous ressourcer et réfléchir. Des actions qui ne sont pas toujours possibles dans la trépidation des journées.

Vous faites grandir votre crédibilité d'un cran chaque fois que vous entretenez l'image d'un éternel apprenant. Nous vivons dans une société où le savoir double aux deux ans. Si le vôtre reste statique, on doutera de vos initiatives et vos tentatives de changement feront soupirer et lever les yeux au ciel.

Et ne pensez pas que vous aurez à afficher votre programme de formation pour qu'il soit connu. Les nouvelles circulent vite dans une organisation et le seul fait que vous vous absentiez dans le cadre d'une formation vous conférera l'aura d'un leader plus crédible.

## QU'EN EST-IL DE VOTRE DISCOURS ?

La manière dont vous vous exprimez a également un impact sur votre crédibilité. Dans *The Inspiration Factor*, l'auteur Terry Barber présente cinq types de crédibilité.

*En premier lieu*, il y a la *crédibilité intellectuelle*. Nous venons tout juste d'en parler, mais les gens ont davantage tendance à croire ceux qui savent de quoi ils parlent. Tenez-vous informé et utilisez le bon vocabulaire. Si vous gérez une usine, vous devriez connaître le nom de toutes les machines. Ne vous contentez pas de les appeler «la patente qui» ou «l'affaire qui sert à...». Assurez-vous également de bien utiliser vos outils de travail. Vous êtes le patron, après tout...

*En deuxième lieu* arrive la *crédibilité morale*. Nous l'avons également abordée en traitant d'intégrité. La crédibilité morale, c'est celle qu'on vous accorde quand on réalise que, devant un choix, vous choisirez l'option qui est le plus en accord avec vos valeurs. La crédibilité morale, c'est également la volonté d'exiger des changements de comportement de la part de ceux qui ont une intégrité fluctuante.

*En troisième lieu*, que dire de la *crédibilité relationnelle*? Celle-ci naît au fil du temps, individu par individu, à mesure que vous démontrez que vous êtes digne de confiance. Elle vous donne un pouvoir légitime qui ne vous est pas conféré par l'organisation, mais bien par vos troupes. Voici quelques questions qui vous aideront à évaluer si vous la possédez :

- Quand vous dites que vous allez faire quelque chose, le faites-vous ?
- Êtes-vous ouvert à la discussion, aux questions et aux commentaires ?
- Vos demandes sont-elles claires, sans ambigüité ?
- Les gens avec qui vous échangez se sentent-ils importants ?
- En plus de parler affaires, connectez-vous avec les gens sur le plan humain ?

Sans crédibilité relationnelle, ce que vous dites a peu d'impact. Les gens ne sont pas certains de savoir ce que vous attendez d'eux. Ils doutent de la valeur de vos engagements. Ils n'ont pas l'impression d'apprendre quand ils sont en votre compagnie et ils ne se sentent pas importants. Comment voulez-vous qu'ils se sentent allumés dans ces conditions ?

*En quatrième lieu,* on retrouve la *crédibilité émotionnelle.* On pourrait également, ici, utiliser les mots maturité émotionnelle. Comment est la vie organisationnelle près de vous ? Vous arrive-t-il souvent de faire des colères soudaines ou de sombrer dans le désespoir ? Vous arrive-t-il d'attaquer le messager au lieu de recevoir une mauvaise nouvelle avec maturité ?

Si votre crédibilité émotionnelle est faible, les gens hésiteront à vous donner leur opinion si elle ne correspond pas à la vôtre. Ils éviteront de vous communiquer les mauvaises nouvelles. Ils se protégeront, certes, mais en vous coupant d'une information nécessaire à une gestion éclairée.

Ce qui ne veut pas dire que vous ne devez pas faire transparaître vos émotions. Bien au contraire cela vous donne un visage humain et vous rend accessible. Par contre, celles-ci ne doivent pas faire vivre des montagnes russes aux gens qui vous entourent et elles ne doivent pas leur faire regretter le fait de vous aborder en toute honnêteté.

Apprenez à respirer avant de réagir. Ne vous bâtissez pas une réputation d'irritabilité. Restez accessible, autant physiquement que mentalement.

*En cinquième lieu,* on retrouve finalement la *crédibilité expérimentielle.* Celle-ci table sur vos succès passés en laissant supposer qu'ils sont garants de vos succès futurs. Êtes-vous déjà passé par là? Qu'en est-il de votre équipe?

Il est entendu que, si vous avez déjà orchestré un changement de l'ampleur que vous proposez aujourd'hui, les probabilités d'en faire un succès viennent de grimper. Il en va de même si l'équipe a également, dans le passé, su relever un tel défi.

Ce que vous devez faire pour augmenter votre crédibilité expérimentielle, c'est rappeler les défis passés et les succès qui en ont résulté. N'allez pas supposer que les gens s'en souviendront automatiquement. Les mécanismes de résistance les en empêchent trop souvent. Tant que leur esprit est monopolisé par la possibilité d'un échec, leur capacité à entrevoir le succès est affaiblie. Rappelez-leur à quel point ils sont bons.

Ces cinq niveaux de crédibilité sont développables. Ils ne sont pas innés. Vous pouvez travailler à les faire grandir chaque jour. N'attendez pas d'avoir à annoncer un grand changement pour vous y attaquer. Il se pourrait alors qu'il soit trop tard. La crédibilité est un actif semblable à celui des intérêts composés ; elle grandit avec le temps.

## LE SORT DES CHANGEMENTS ANNONCÉS SANS CRÉDIBILITÉ

Trop souvent, dans les entreprises familiales, on procède au transfert de leadership sans investir au préalable dans la crédibilité du futur leader. Par exemple, un héritier sera brusquement nommé patron et il arrivera avec ses idées et ses projets de changement qui seront annoncés rapidement.

Quand cela se produit, c'est la catastrophe. Les gens lèvent les yeux au ciel et quittent la réunion en échangeant des commentaires hostiles au projet, tels que :

- On voit bien qu'il n'a pas d'expérience. Ça ne s'est jamais fait, ce qu'il propose !

- Il nous arrive avec des idées d'université. Ce n'est pas l'université ici, c'est la vraie vie !

- Il vient juste d'arriver ! Qui est-il pour nous dire qu'on doit changer nos manières de travailler ?

- Ce n'est pas du temps de l'ancien patron qu'on se serait lancé dans un projet comme ça...

- Je vais commencer à envoyer des CV. Je ne pense pas que l'entreprise fasse long feu maintenant que c'est lui le patron.

Inutile de dire que, dans un tel contexte, le changement est souvent voué à l'échec. Qui voudra investir le moindre effort discrétionnaire dans un projet voué à l'échec ? Qui se sentira impliqué ? Le tout peut provoquer un cercle vicieux : le pessimisme renforce le pessimisme et tous sont contents de réaliser que le projet se dirige vers un échec. Après tout, on le savait!

C'est la raison pour laquelle, dans un bon plan de relève, on offrira au futur leader la possibilité d'établir sa crédibilité en lui offrant un défi à sa mesure. De cette manière, ses futurs employés apprendront à le connaître et à le respecter. Avec pour résultat que, lorsqu'il annoncera sa fameuse réforme, on donnera la chance au coureur.

Développez un peu plus votre crédibilité chaque jour. Donnez à vos employés la possibilité de vous faire confiance.

# CHAPITRE NEUF

# Offrez-leur la santé

*La santé est un état de complet bien-être physique,*
*mental et social, et ne consiste pas seulement*
*en une absence de maladie ou d'infirmité.*

– ORGANISATION MONDIALE DE LA SANTÉ (OMS)

Qu'est-ce qu'une entreprise en santé? Pendant des décennies, on a pensé que c'était une entreprise qui arrivait à satisfaire ses clients en dégageant une marge de profit raisonnable. Cela était supposé créer un cercle vertueux: l'entreprise satisfaisait les clients, ce qui l'aidait à prospérer, ce qui permettait d'offrir un rendement aux investisseurs, ce qui permettait d'améliorer l'offre commerciale, etc.

On réalise de plus en plus que cette équation est incomplète parce qu'elle fait abstraction des employés. Or, comment une organisation peut-elle prospérer avec des employés malades? Difficilement. Et c'est d'autant plus vrai dans une société vieillissante où on demandera davantage aux gens de rester en poste après l'âge officiel de la retraite. Impossible, dans ce cas, de rester concurrentiel avec des employés cacochymes. Pour garder des gens allumés, vous devez favoriser leur santé. Pour ce faire, je vous propose de diviser ce défi en deux étapes.

## PREMIÈRE ÉTAPE :
### RÉDUIRE LES RISQUES DE MALADIE

Vous vous dites peut-être que les habitudes de vie sont une affaire personnelle et que vous n'avez pas à vous immiscer dans les choix de vos employés. Mais c'est faux parce que ces choix peuvent avoir un impact direct sur la performance de votre organisation. Voyons quelques exemples.

En premier lieu, nous retrouvons l'**absentéisme**. Combien vous font perdre, chaque année, les visites chez le médecin et les absences pour maladie ? Une étude australienne évalue les pertes à 800 $ australiens par employé par année. Ne vaudrait-il pas mieux compter sur des employés en santé ?

Et que dire du **présentéisme**[4] ? Quel est l'impact sur la productivité, pensez-vous, quand les gens se présentent au travail malgré une migraine, un mal de dos, des douleurs chroniques ou une gueule de bois ? Combien perdez-vous en productivité pour chaque employé présentant ces problèmes ?

Arrivent ensuite les cas d'**épuisement professionnel**. Combien vous coûtent-ils en assurances, en remplacement (recherche de candidat, sélection d'embauche et formation) et en réintégration ? Ne vaudrait-il pas mieux en réduire la prévalence ? D'autant plus que ceux qui quittent épuisés sont souvent des gens sur lesquels vous comptiez, des gens qui font une différence dans votre organisation...

---

4. Il y a présentéisme quand les employés se présentent au travail mais qu'ils ne sont pas vraiment là parce que la maladie ou les préoccupations les empêchent d'être fonctionnels. Vous faites du présentéisme quand vous donnez seulement l'impression de ne pas être absent.

Bien entendu, vous croyez que la prévention des maladies vous coûtera cher. Mais combien vous coûte l'inaction? Par exemple, savez-vous que, selon la Société canadienne du cancer, un fumeur peut vous coûter jusqu'à 3396 $ par année si on compte l'absentéisme, la productivité moindre et les coûts engendrés par la création d'abris pour fumeurs l'hiver[5]? Ce qui ne signifie pas que vous devez vous transformer en ayatollah de l'antitabac. Votre milieu de travail doit plutôt devenir une inspiration pour tous ceux qui pourraient améliorer leur qualité de vie avec un peu d'efforts et d'attention.

Vous n'y perdrez pas en encourageant vos employés à adopter de plus saines habitudes de vie. Bien au contraire. Voici, par exemple, quelques initiatives qui risquent de vous rapporter gros.

- *La clinique de prévention des tueurs silencieux.* Surtout après 40 ans, il y a énormément de gens qui sont des bombes ambulantes. Ils semblent pétants de santé, mais deux ennemis les rongent peut-être : le diabète et l'hypertension. Le pire, c'est que ces maladies sont facilement détectables. Pourquoi ne pas organiser une clinique de détection. Les personnes identifiées pourront par la suite consulter leur médecin et trouver les traitements appropriés.

- *La semaine antitabac.* Les campagnes antitabac ne convaincront pas toutes vos ressources, mais les personnes qui seront convaincues risqueront moins de vous abandonner chemin faisant à cause de la maladie.

5. Kuyumcu, N. (2008). *Helping Employees Butt Out Generate Big Savings. Benefits Canada*, 22 avril. [www.benefitscanada.com].

- *Le changement de menus à la cafétéria.* Pourquoi ne pas avoir recours aux services d'un nutritionniste qui vous aidera à revoir les menus de la cafétéria ? L'obésité représente des risques certains. Elle peut favoriser le diabète, l'hypertension, les problèmes articulaires et le cancer. En offrant à vos gens de manger santé, vous les aidez à réduire les risques associés à une mauvaise alimentation.

- *Les programmes destinés aux employés à risque.* Ce sont des programmes destinés aux personnes qui ont des problèmes d'alcool ou de drogue. Très souvent, ces personnes sont superperformantes une partie de la journée. Mais vous les perdez après l'heure du dîner. Un programme de prise en charge pourrait les aider à éloigner les risques associés à la surconsommation et à la dépendance.

- *Un abonnement au gymnase.* Pourquoi ne pas offrir à vos employés la possibilité de se maintenir en forme à vos frais ? Cela semble une dépense, mais, au fond, c'est un investissement qui se justifie pleinement. Vous avez besoin de gens en forme, prêts à se dépenser pour vous. Mais pour se dépenser, encore faut-il qu'ils aient un minimum d'énergie. L'activité physique les aidera à développer cette énergie dont votre organisation a besoin.

- *Le mois de l'activité physique.* Pourquoi pas un mois ayant la bonne condition physique comme thème ? Une fois par semaine, sur l'heure du midi, vous invitez un spécialiste (nutritionniste, professeur de yoga, professeur d'aérobie, etc.). Ou encore formez une équipe qui vous représentera lors d'un défi sportif. Tout ce qui encourage l'activité physique devrait, à moyen et long termes, vous apporter un retour sur investissement positif.

- *Une formation en résilience.* Il n'y a pas que la santé physique. La santé mentale peut également affecter le rendement d'un employé. Une formation appropriée peut aider les gens à prendre les choses de façon moins personnelle, à faire la paix avec le passé, à mieux apprécier l'instant présent et à mieux gérer le stress. Cela n'est pas négligeable.

Chacune de ces initiatives représente des investissements dans la santé de vos employés, mais aussi des investissements dans la capacité de votre organisation à continuer son beau travail. La maladie fait diminuer le niveau d'octane de vos troupes. Elle mine le moral de vos gens. Vous n'en avez pas besoin.

Et si vous pensez que vous crèverez votre budget en investissant dans ces programmes, c'est que vous n'avez pas encore réalisé ce que vous coûte ou vous coûtera la maladie à mesure que vos troupes vieilliront.

## DEUXIÈME ÉTAPE : FAVORISER LA SANTÉ ORGANISATIONNELLE

Avez-vous remarqué la citation présentée au début de ce chapitre? Selon l'OMS, la santé ne consiste pas uniquement en l'absence de maladie. Elle englobe le bien-être physique, mental et social. C'est ici qu'entre en jeu le développement d'une philosophie de santé organisationnelle.

On ne peut donc pas dire qu'une personne qui n'a pas de maladie est en santé. Tout comme on ne peut pas dire qu'une personne sans dette est riche. Elle est au neutre, c'est tout. Pour avoir des gens réellement en santé, vous devez leur offrir un environnement de travail qui les énergisera, qui les fera vibrer et qui leur donnera envie de s'investir.

Graham Lowe, l'auteur de *Creating Healthy Organization*, a justement demandé à des employés comment ils voyaient un environnement de travail favorisant la santé. Voici les principales réponses. Remarquez qu'elles n'ont pas nécessairement trait aux vaccins et à l'exercice physique.

| Catégorie | Souhaits évoqués |
|-----------|------------------|
| Relations | • Relations respectueuses<br>• Collègues amicaux<br>• Bienveillance et compassion<br>• Communications honnêtes et ouvertes basées sur la confiance |
| Travail | • Comprendre l'impact global de notre travail<br>• Employés encouragés à faire preuve d'initiative et à prendre des risques<br>• Implication |
| Équipe | • Coopération et collaboration<br>• Objectifs communs (sentiment de faire partie de l'équipe)<br>• Partage des connaissances |
| Soutien | • Gestionnaires encourageants - soucieux d'aller chercher ce qu'il y a de mieux en chacun<br>• Gestionnaires capables d'apprécier et de célébrer les contributions de chacun<br>• Équité et justice, incluant les salaires<br>• Encouragements à un mode de vie sain |

Il existe un lien certain entre l'état d'esprit des gens et leur propension à rester en santé. L'être humain est un système complexe. Chaque partie influence le tout. Par exemple, on a découvert que le manque de respect avait une incidence directe sur le taux d'épuisements professionnels.

Lowe a ensuite demandé aux participants comment ils se sentiraient s'ils se retrouvaient dans un milieu de travail offrant tout ce que vous venez de lire. Voyez les réponses :

- *Je me sentirais bien mentalement et physiquement.*
- *J'aurais l'impression de m'accomplir.*
- *Je serais plus passionné, impliqué, enthousiaste et heureux.*
- *J'aurais une attitude positive à l'égard de mon travail, de mes collègues et de mes patrons.*
- *J'aurais hâte de me rendre au travail.*
- *J'aurais plus de facilité à faire face au changement.*
- *Je serais plus proactif, plus innovateur et plus créatif.*
- *Je ferais preuve de plus de leadership.*
- *Je serais excité par les résultats.*
- *Je chercherais des solutions.*
- *Je serais plus dévoué.*

Que remarquez-vous dans cette liste ? Ces phrases semblent provenir d'employés allumés. C'est donc dire qu'en visant la santé organisationnelle, non seulement vous pourrez compter sur une main-d'œuvre plus en forme, mais vous aurez également des employés plus allumés.

Et cela devrait de loin rapporter plus que les coûts engendrés. Un sondage a récemment posé la question suivante à quelques centaines de milliers d'employés : *Est-ce que vous limitez votre contribution au travail ?* En d'autres mots, pourriez-vous en faire plus ?

Soixante-dix pour cent des employés ont avoué qu'ils pourraient en donner plus. C'est donc dire que près des trois quarts de vos troupes travaillent peut-être actuellement avec le frein à main embrayé. Imaginez qu'ils vous donnent tout ce qu'ils ont dans le ventre. C'est possible avec des employés allumés. C'est possible dans une organisation en santé.

## MAIS COMMENT FAIRE ?

Combien de patrons répètent régulièrement que ce qu'ils ont de plus précieux, ce sont leurs employés ? Et pourtant, ils procèdent à des mises à pied au premier ralentissement. Ils manquent de respect envers leurs troupes et ils communiquent le moins possible. Ce n'est pas ainsi qu'on crée des employés allumés. Comment pourriez-vous vous doter d'une organisation plus en santé ?

Dans un premier temps, cessez de réagir bêtement aux manifestations de la maladie dans votre organisation. Trop souvent, on s'attaque aux symptômes au lieu de s'attaquer aux causes d'une maladie.

Prenons l'absentéisme. Il peut être tentant, s'il y en a beaucoup chez vous, de promulguer une nouvelle politique disciplinaire répressive qui pénalisera les absents et les contraindra à rentrer au travail même quand ils ne le peuvent pas. À court terme, une telle politique pourrait avoir un impact positif : plus de gens rentreront au travail chaque jour. Même s'ils ne se sentent pas bien. Même s'ils ont d'autres préoccupations.

Mais que diriez-vous, plutôt, de fouiller afin de découvrir les causes de ces absences à répétition? Qu'est-ce qui se cache derrière ce problème? En grattant, vous risquez de réaliser qu'elles sont dues à un mauvais système de ventilation, à des relations interpersonnelles déficientes, à un superviseur désagréable ou à de mauvaises politiques face à la conciliation travail-famille. Trouvez les causes et attaquez-vous-y. Vous ne tarderez pas à voir votre taux d'absentéisme diminuer.

Qu'en est-il du présentéisme? Se pourrait-il qu'il soit dû à des superviseurs qui exigent le retour en poste trop rapidement à la suite d'un accident de travail? À une charge de travail trop importante? À des délais irréalistes? À des salaires trop faibles compte tenu du coût de la vie? Trouvez les causes réelles et tirez-en des objectifs stratégiques que vous gérerez sur un pied d'égalité avec les objectifs commerciaux.

Terminons avec les cas d'épuisement professionnel. Il est facile de dire que certains employés sont plus faibles que d'autres et qu'ils s'épuisent plus rapidement. Mais qu'en est-il réellement?

Ils peuvent être dus à des conflits qui dégénèrent, à une charge de travail trop grande jumelée à des délais impossibles à respecter, à des relations interpersonnelles négatives, à un manque de soutien de la direction, à un mauvais esprit d'équipe, etc. Trouvez les causes et faites-en des priorités.

Empruntez la même démarche qu'avec la sécurité au travail. Quand un accident survient, vous n'invoquez pas un coup mauvais du sort. Vous tentez de comprendre ce qui s'est passé et vous vous assurez que cela ne se reproduira plus. Faites de même avec toutes les autres facettes du dossier santé et ne tardez pas à réaliser que vos employés sont plus allumés.

Il est tentant de se conforter en se disant que la santé, c'est soit une affaire personnelle, soit une responsabilité des ressources humaines. Dans les faits, elle doit être une préoccupation constante à tous les niveaux de l'organisation. Des troupes malades ont moins de chances de gagner les batailles.

## CHAPITRE DIX

# Offrez-leur la justice

*Il y a plusieurs années, j'ai entendu dire que les gens
qui subissent le plus de stress dans la vie sont les
employés en contact avec la clientèle et à qui on confie
beaucoup de responsabilités sans aucune autorité.
Je considère que c'est abuser des gens.*

— CLIVE BEDDŒ

Que pensez-vous de cette citation de Clive Beddœ, cet ancien président de WestJet? Pour mériter de diriger les gens, il faut les traiter avec justice. Sinon, on ne mérite pas notre poste de leader.

Vous êtes-vous déjà senti traité injustement dans le cours de votre carrière? Dans l'affirmative, qu'avez-vous ressenti à ce moment-là? Vous avez senti qu'on abusait de vous ou qu'on vous cachait la vérité? Vous vous êtes senti trahi? Vous vous sentiez moins impliqué face à votre emploi? Sans chercher activement ailleurs, vous auriez été ouvert à une offre d'emploi. C'est normal: on déconnecte immédiatement dès qu'on se sent traité injustement au travail.

D'ailleurs, deux chercheurs américains qui tentaient de découvrir ce qui crée l'étoffe des vrais leaders, James Kouzes et Barry Posner, ont identifié l'équité comme étant le quatrième facteur en importance[6] si on souhaite voir les gens se dépasser pour nous. Sans justice, il ne peut y avoir attachement. Personne ne peut s'attacher à un leader qui nous traite moins bien que nos semblables.

Mais sur quoi un employé se base-t-il pour déterminer qu'il est traité en toute justice ? Sur trois choses : l'impartialité, l'équité et l'égalité des chances. Ces trois éléments constitueront la structure de ce chapitre.

## L'IMPARTIALITÉ

Les bases sur lesquelles vous prenez vos décisions sont-elles stables ou fluctuent-elles selon les situations ? Par exemple, si l'employé A prend l'habitude d'arriver en retard au travail, aurez-vous la même réaction que si c'était l'employé B ? Vous risquez de créer de l'insatisfaction si vous ne réagissez pas de la même manière pour l'un que pour l'autre.

Les passe-droits n'ont pas bonne presse dans les organisations. Si vous donnez l'impression de traiter plus favorablement l'employé A, trois choses se passeront dans votre service.

1. *Votre crédibilité sera entachée.* Comme nous l'avons vu au chapitre huit, votre crédibilité repose en partie sur la prévisibilité de vos gestes. Or, vous devenez imprévisible quand vous changez de base décisionnelle au fil des situations. On risque également de douter de votre intégrité.

---

6. Après la compétence, la vision et la communication de la vision.

2. *L'employé privilégié risque d'être ostracisé par le reste du groupe.* Les gens n'aiment pas les chouchous. Ils ont l'impression que les privilégiés partent avec une longueur d'avance et que ces derniers ont accès à des informations dont les autres sont privés.

3. *Le niveau de confiance risque de chuter dans l'équipe.* C'est ce qui arrive quand un leader perd sa crédibilité et que l'insatisfaction gronde parmi les troupes.

Naturellement, il y a des situations où un traitement différent s'impose. Si l'employé A passe ses soirées à l'hôpital pour veiller un parent très malade et que rien n'explique les retards de l'employé B, sauf un manque de discipline, un traitement inégal sera compréhensible si les gens sont conscients des raisons des retards. (Que répondriez-vous à l'enfant de 10 ans qui trouve injuste que son aîné de 17 ans puisse sortir plus tard le soir ?)

Mais, en règle générale, vous devriez faire attention à votre processus de prise de décision au quotidien. S'il semble erratique ou injuste, vos employés s'éteindront lentement.

Ne faites pas de politique au bureau et n'offrez pas de traitements de faveur à quelques employés. Si vous devez annoncer une promotion, expliquez pourquoi la personne retenue a été choisie. Ne lancez pas de rumeurs. Soyez le leader de tous et de chacun.

Bien sûr, vous n'êtes pas le seul à devoir afficher une parfaite impartialité. Vous devez exiger la même chose de tous et vous vous devez d'agir si vous réalisez que des membres de votre organisation donnent dans le favoritisme. Comme le veut le proverbe: *qui ne dit mot consent.* Aux yeux des membres de votre organisation, votre refus d'intervenir sera perçu comme un endossement de pratiques injustes.

## L'ÉQUITÉ

Gérez-vous de façon équitable? Pour pouvoir répondre par l'affirmative, vous devez être en mesure de répondre oui aux trois questions suivantes.

1. *Y a-t-il «justice distributive» dans votre unité d'affaires?* Autrement dit, pour un travail de valeur équivalente, vos employés reçoivent-ils un salaire équivalent? Imaginez l'employé qui réalise qu'il gagne moins que son collègue alors qu'il effectue le même travail. Même s'il était allumé, il vient de s'éteindre.

   La Loi sur l'équité salariale a tenté d'améliorer les choses, mais, traditionnellement, les femmes ont gagné moins que leur contrepartie masculine pour un même travail. Les nouveaux employés trouvent également curieux que les gens soient payés en fonction de leur ancienneté plutôt qu'en fonction de leurs compétences, étant donné qu'ils se perçoivent généralement plus compétents que leurs aînés.

   Que faire alors? Ne pas perdre de vue l'importance de la justice distributive et bien expliquer ce qu'il en est quand elle ne semble pas respectée. Par exemple, le salaire supplémentaire reçu par l'employé plus âgé constitue une prime à la rétention, un remerciement pour sa fidélité.

2. *Y a-t-il «justice procédurale» dans votre unité d'affaires?* Si un employé formule une demande spéciale ou porte plainte, sa demande ou sa plainte sera-t-elle traitée aussi rapidement que si elle avait été émise par un autre? La justice procédurale se rapproche ici de l'impartialité.

3. *Y a-t-il «justice communicationnelle» dans votre unité d'affaires?*
Êtes-vous aussi chaleureux avec tout le monde? Ou avez-vous tendance à sourire à l'un et ignorer l'autre? Dans ce cas, danger!

Si vous avez répondu oui à ces trois questions, bravo! Il y a de l'équité dans votre service. Ne perdez pas ces bonnes habitudes parce qu'elles élèvent l'indice d'octane de vos troupes.

## L'ÉGALITÉ DES CHANCES

Il est normal d'avoir des biais dans la vie. Par exemple, vous risquez d'apprécier davantage celui qui a fait ses études à la même université que vous, celui qui est né dans la même région ou celui qui appartient au même ordre professionnel. Ce n'est pas étonnant. La psychologie sociale a révélé que nous préférons les gens qui partagent des points en commun avec nous.

Il est donc normal d'entretenir, d'entrée de jeu, des biais favorables envers certaines personnes. Sauf que, dans un souci de justice, ces biais ne devraient pas nous empêcher d'offrir des chances égales à tous.

Comment montez-vous vos équipes? Vous assurez-vous d'y retrouver des gens complémentaires ou sont-elles, fois après fois, un assemblage de personnes vous ressemblant? Tous peuvent-ils aspirer à une éventuelle promotion ou existe-t-il un plafond de verre pour les femmes, les gais, les jeunes et les membres des communautés culturelles?

Est-ce que chacun a l'opportunité de briller chez vous ou y a-t-il des gens à qui on n'offre jamais de défis? Ces gens se retrouvent-ils dans un certain groupe générationnel? Un certain groupe culturel? Une certaine orientation sexuelle? Dans l'affirmative, non seulement vous privez vos troupes du sentiment de justice, mais vous vous privez des compétences de plusieurs.

Si des gens sentent qu'ils n'auront jamais de succès chez vous parce que vous entretenez des biais systémiques, ils iront faire le plaisir de vos concurrents, ce qui pourrait nuire aux capacités d'adaptation de votre organisation. Dans un monde de plus en plus diversifié et connecté, il est hasardeux d'entretenir un esprit de clocher.

- Cet esprit fermé vous empêche de bien connecter avec de nouveaux bassins de clientèle. Ne vous attendez pas, par exemple, à conquérir de nouveaux marchés s'il n'y a pas dans votre équipe quelqu'un qui connaît la culture de ces nouveaux marchés et qui la comprend.

- L'ouverture à la diversité vous permet d'arriver avec une meilleure offre commerciale. Il est illusoire de penser séduire un marché si on n'est pas au diapason avec celui-ci.

L'esprit de clocher vous permet de vivre le phénomène de la pensée de groupe (*groupthink*), un problème qui hante les équipes monolithiques.

Donnez donc la chance à tout le monde. Assurez-vous que vos tests d'embauche ne sont pas pipés en faveur d'un groupe particulier de candidats. Faites en sorte de mettre sur pied des équipes diversifiées et exigez la même chose de vos collègues.

## LA PERCEPTION DE LA JUSTICE

Pour un patron, il est très difficile d'offrir la justice à ses troupes s'il ne communique pas constamment et si sa communication n'est pas crédible. Pourquoi? Parce que le sentiment d'être traité de manière juste repose sur une perception. Si vous ne communiquez pas suffisamment, il y aura toujours quelqu'un pour se sentir perdant lors de vos annonces. Il y aura toujours quelqu'un pour crier à l'injustice.

C'est d'autant plus vrai que plusieurs nourrissent l'impression qu'une entreprise juste est celle qui offre un traitement égal à tous ses membres et que tout traitement inégal justifie de crier à l'injustice.

Or, c'est tout à fait faux. La définition du mot *travail* a évolué avec le temps et les organisations doivent s'ajuster. Alors qu'au début des années 1900 les employés vendaient leur temps, ils vendent aujourd'hui des résultats à leur employeur. Et celui qui offre plus de résultats mérite plus. Cela n'est pas injuste. C'est le contraire qui le serait.

Imaginez l'entreprise qui s'entêterait à payer également tous ses vendeurs, sans égard à leur performance. Il y a fort à parier qu'il se produirait deux choses:

- La première: *les meilleurs vendeurs ne tarderaient pas à quitter pour un concurrent qui accepterait de les payer à leur juste valeur.* Ce n'est pas son temps qu'un vendeur échange pour son salaire, c'est sa capacité à générer des ventes. Et, pour lui, le fait d'être payé au même salaire que son collègue moins performant constitue une injustice.

• La deuxième: *les moins bons vendeurs perdraient l'envie d'améliorer leur résultats.* À quoi bon se dépasser s'il n'y a rien au bout de la route pour eux? Autant se contenter de faire ses heures sans trop stresser...

Il en va de même de l'ingénieur moins créatif, du programmeur plus lent, du personnel au service de la clientèle moins enthousiaste et du gestionnaire effrayé par la moindre confrontation (rappelez-vous le chapitre sur le courage). Récompensez les gens en fonction de ce qu'ils rapportent et de leur valeur sur le marché. Là est la vraie justice.

C'est également injuste d'offrir à tous les mêmes congés, sans égard à leur religion. Pourquoi ne pas vous adapter à chacun? Il est bien entendu que la diversité est plus difficile à gérer que l'homogénéité, mais votre souci de justice à ce niveau fidélisera les gens. Les employés apprécient qu'on tienne compte de leurs besoins.

Certains diront que c'est de l'à-plat-ventrisme. Pas du tout. Ce n'est pas non plus un passe-droit si vous exigez moins d'un employé vers la fin du ramadan parce qu'il est plus faible. Ce n'est pas non plus de l'à-plat-ventrisme si vous acceptez qu'il prenne un congé sans solde au sortir de ce mois.

Retenez que le mot *justice* ne rime pas nécessairement avec le mot *égalité*. En gestion, très souvent, ces deux mots sont des antonymes.

### IL Y AURA TOUJOURS
### DES DÉCISIONS IMPOPULAIRES

Malgré toute l'attention que vous porterez à vos communications et à leur limpidité, il y aura toujours des décisions impopulaires et il y aura toujours des gens qui se sentiront injustement attaqués par vos annonces.

Vous annoncez la fermeture d'une succursale déficitaire et la disparition d'une trentaine d'emplois, mais, du même coup, vous assurez la survie du groupe et le maintien de 600 autres emplois. Il y a fort à parier que vous ne gagnerez pas de concours de popularité dans la succursale visée cette semaine-là.

Mais si vous avez bien suivi les conseils de la première partie de ce livre, votre relation avec les employés sera résiliente et les gens finiront par passer l'éponge. Vous aurez fait la preuve que vous ne fuyez pas devant vos responsabilités. De plus, si vous avez développé le respect et la crédibilité, les mécontents auront bien de la difficulté à orchestrer une fronde contre vous. Vous sortirez des crises avec un leadership encore plus fort.

Soyez brave. Prenez les décisions qui s'imposent et continuez de faire briller vos employés.

CHAPITRE ONZE

# Offrez-leur la cohésion

*La vérité m'échappe, je n'en sais pas grand-chose.*
*Mais peut-être qu'à mille nous saurons la trouver.*

– JACQUES MICHEL

Avez-vous déjà fait partie d'une équipe solidaire? Dans ces équipes, on se tient. Si un des collègues prend du retard, quelqu'un se propose pour l'aider. Si un des coéquipiers est traité injustement, les autres interviennent. C'est même souvent dans la bonne humeur qu'on traverse des temps plus difficiles.

Dans ces équipes, on ne laisse pas non plus de blessés sur le champ de bataille. Si l'équipe échoue, on ne cherche pas un bouc émissaire. Tous admettent l'échec et en prennent solidairement la responsabilité. Ces équipes sont généralement plus efficaces, plus productives et, malgré tout cela, le travail ne semble pas fatiguer leurs membres.

Mais qu'est-ce qui les rend ainsi? La réponse tient en un mot: *complicité*. La complicité, c'est un mélange de connivence et de bonne entente qui s'établit au fil du temps entre des gens. En tant que gestionnaire, vous ne pouvez pas imposer la complicité. Mais vous pouvez l'encourager. Vous découvrirez comment dans ce chapitre.

## Apprenez-leur à mieux se connaître

Tant que l'autre reste un étranger, la complicité et la cohésion ne peuvent pas se développer. La complicité exige une certaine familiarité qui se construit naturellement avec le temps. Après tout, nous sommes tous différents et c'est avec le temps qu'on finit par trouver des avantages aux particularités des autres.

C'est ainsi qu'une personne du genre plutôt sensible – c'est-à-dire qui prend ses décisions en recourant davantage à ses propres valeurs et à ses propres sentiments qu'à son côté rationnel – risque, d'entrée de jeu, de qualifier de sans-cœur un collègue qui prend ses décisions de manière plutôt rationnelle. Elle qualifiera l'autre ainsi jusqu'à ce qu'elle découvre que la pensée logique présente également des avantages et qu'elle complète admirablement ses préférences à elle. Il en va de même de l'introverti qui trouve son collègue extraverti envahissant jusqu'à ce qu'il découvre que c'est bien de pouvoir compter, dans l'équipe, sur une personne qui va allègrement à la rencontre des clients.

En tant que patron, vous pouvez accélérer ces prises de conscience. Il existe nombre de formations qui permettent de se découvrir, de découvrir les autres et de réaliser que la diversité n'est pas une mauvaise chose. Des formations de type psychologique, en cohabitation intergénérationnelle ou en développement du courage. Les gens qui les suivent s'apprécient davantage parce qu'ils réalisent que les autres, aussi bizarres puissent-ils sembler, ont quelque chose à leur apporter et peuvent les aider à relever les défis.

Vous pouvez également, si vous gérez un milieu de travail multiculturel, créer des semaines thématiques permettant à chacun de mieux faire connaître sa culture, ou offrir des cours visant l'apprentissage sommaire des autres langues. C'est fou ce que le simple fait de pouvoir dire *s'il-vous-plaît* ou *merci* dans la langue de l'autre peut nous rendre plus sympathiques à ses yeux.

Ce qui nous semble étranger semble plus dangereux. Dès qu'on connaît mieux ceux qu'on côtoie, ils nous semblent soudainement plus sympathiques.

Et si vous souhaitez améliorer les relations entre deux groupes distincts, provoquez des événements où chacun présentera la nature de son travail et expliquera quels sont ses besoins face aux autres groupes. Aidez vos gens à se découvrir et à comprendre pourquoi ils devraient s'apprécier. Vous aurez déjà semé un peu de complicité dans les relations.

### PROVOQUEZ DES AMITIÉS

Qu'est-ce qui distingue la relation entre des amis de celle entre de simples collègues? Des amis sont capables de se dire leurs quatre vérités. Des amis sont capables d'afficher leur désaccord sans mettre un terme à leur relation. Des amis sont capables de passer par-dessus une déception ou une erreur parce que leur relation est résiliente.

Pour plusieurs raisons, il est dans votre intérêt que se nouent des amitiés dans votre milieu de travail.

- *Les amitiés favorisent la fidélité du personnel.* En fait, une part grandissante des employés resteront en poste malgré le stress s'ils ont des amis en place. Quitter un emploi est moins difficile que quitter un milieu de travail où ils ont du plaisir et des amis.

- *Les amitiés favorisent le soutien mutuel.* Qui oserait laisser un ami se péter la gueule ? S'il a de la difficulté, on intervient, on aide, on répare les pots cassés. À quoi bon être amis sinon ?

- *Les amitiés favorisent la performance.* C'est tellement vrai que Gallup demande aux gens s'ils ont des amis en place pour évaluer leur niveau d'engagement. Ce serait une composante essentielle du mieux-être au travail.

Alors, puisqu'elles sont tellement importantes, comment allez-vous provoquer ces amitiés ? Un peu comme le faisaient les marieuses des temps, jadis, c'est-à-dire en faisant en sorte que les gens entrent en interaction et apprennent à s'apprécier.

- Il y a tout d'abord *la sortie de groupe.* Que ce soit pour aller voir un spectacle, jouer aux quilles, participer à une soirée karaoké ou quoi que ce soit d'autre, ces sorties permettent à des gens qui ne se parlent pas nécessairement au travail de se découvrir des points communs et de partager leur réalité. Au fil du temps, des amitiés peuvent naître. Même si vous les considérez comme des dépenses inutiles, ces événements constituent un bon investissement.

- Il y a également *la célébration impromptue.* Cette avenue est tellement importante que nous lui consacrerons une partie du chapitre dix-huit.

- Il y a *la formation.* Des études ont prouvé depuis longtemps l'importance des relations positives au travail. Une bonne formation permet aux gens de réaliser ce qu'ils savent déjà, à savoir l'impact négatif du défaitisme, de la victimisation, de l'humour acerbe et de la tendance à crier à la catastrophe.

- Il y a *les mandats spéciaux.* Pourquoi ne pas confier un mandat à deux personnes qui ne se tiennent générale-ment pas ensemble ? Si le mandat est couronné de suc-cès, vous aurez provoqué un sentiment d'affiliation qui devrait améliorer la qualité de leur relation.

- *Des activités ludiques lors des rencontres.* La psycholo-gie sociale a depuis longtemps identifié les facteurs qui font qu'on apprécie davantage les autres. Les trois acti-vités suivantes pourraient provoquer cet effet chez vos gens :

  - *Les points communs.* Donnez cinq minutes au groupe. Chacun doit s'approcher d'une personne avec qui il est rarement en contact et tenter de trou-ver des points communs avec elle. Cet exercice, aussi simple soit-il, permet de faire grandir le senti-ment d'appréciation envers l'autre.

  - *Les compliments.* Même exercice sauf que, cette fois, il faut trouver des raisons de complimenter l'autre.

  - *La coopération.* Même exercice sauf que, cette fois, il faut trouver des raisons d'être communes dans l'organisation. Cela permet de résumer notre situa-tion en utilisant une phrase qui débute par *Nous.*

Ne sous-estimez jamais le pouvoir d'une amitié au travail. Elle rend les défis plus faciles à relever. Elle améliore le climat de travail et elle crée cette cohésion qui transforme un simple regroupement de personnes en véritable équipe.

## LA CAPACITÉ D'ACCUEILLIR

Il existe des milieux de travail ouverts et d'autres qui sont fermés. Quand un nouvel employé est embauché, il est très bien accueilli dans les premiers, tandis que, dans les seconds, il se sent encore étranger au bout de six mois.

Pourtant, dans notre monde où le talent est de plus en plus rare et où il faut souvent cumuler les responsabilités des postes non pourvus, l'arrivée d'un nouveau collègue devrait être une fête.

D'autant plus que ce collègue, quand il rentrera à la maison ce soir-là, se fera demander comment s'est passée sa journée. Si l'équipe s'est comportée à son égard comme s'il avait la peste, on vient déjà de faire naître le doute dans son esprit: *ce n'est peut-être pas un emploi pour lui.*

L'équipe devrait donc se donner un objectif: faire en sorte que le nouveau ait déjà l'impression de faire partie du groupe dès la fin de la première journée. Plusieurs moyens peuvent contribuer à créer ce sentiment. En voici quelques-uns:

- *Des salutations dès le début de la journée.* Tous devraient se présenter. Mieux encore, une personne devrait faire le tour de l'équipe avec le nouveau. Chacun devrait l'accueillir avec un sourire et une poignée de main. Il faut se présenter, dire ce qu'on fait dans l'équipe et confirmer que, s'il y a quoi que ce soit, ce sera avec plaisir qu'on l'épaulera.

- *Une (ou plusieurs) invitation pour le lunch.* Le nouveau n'a pas à être laissé à lui-même pendant l'heure de dîner. Des membres de l'équipe devraient l'inviter à les accompagner ou à s'asseoir avec eux pendant la pause.

- *L'attribution d'un mentor.* Vers qui se tournera le petit nouveau quand il aura des questions à poser? Idéalement, ce devrait être quelqu'un de même niveau hiérarchique, quelqu'un qui a de la facilité à entrer en contact.
- *La présentation des activités à venir.* Il est nouveau, mais il fait déjà partie de l'équipe. Y a-t-il une sortie de prévue dans les prochains jours? Il faudrait le mettre au courant à la première occasion.
- *Le mot de bienvenue du leader.* J'ai placé ce moyen en dernier parce que c'est l'équipe qui reçoit, mais un mot de votre part suivi d'applaudissements constituerait un bel accueil.

Le «vous» devrait être oublié dès la première journée. Encouragez la nouvelle recrue à vous appeler par votre prénom et faites de même. Traitez-la comme un membre de l'équipe, pas comme un visiteur de passage.

## Un milieu de travail vibrant

Quelles sont les valeurs qui animent votre équipe? Il y a des équipes qui pataugent dans une culture négative. Ce sont davantage des regroupements d'individus que de véritables équipes. On y retrouve de l'envie, de la médisance et, très souvent, un manque flagrant de responsabilité personnelle.

À l'opposé, il y a des cultures d'équipe qui font vibrer leurs membres. Les valeurs qu'on y retrouve sont le respect, la responsabilité personnelle, l'honnêteté, l'intégrité, l'impartialité et la bonne humeur. Dans un tel bouillon culturel, les gens ne peuvent faire autrement que grandir. Ils collaborent. Ils ont du plaisir. Ils ont l'impression de vibrer, d'être vivants, de faire partie d'une même communauté.

Dans ces organisations, également, les équipes n'entretiennent pas une mentalité de clan. Elles ne considèrent pas les autres équipes comme des adversaires ou des groupes lointains. Elles entretiennent entre elles des relations cordiales parce qu'elles savent que toutes partagent les mêmes objectifs à long terme.

Vous pouvez contribuer à créer un tel milieu de travail. Les quelques suggestions qui suivent devraient vous y aider :

- *Favorisez la coopération entre les services.* Vous n'aurez jamais un milieu de travail vibrant tant que le personnel administratif, les vendeurs et le personnel de production donneront l'impression de vivre dans des univers parallèles. Le personnel administratif devrait être content même si une nouvelle vente impose du travail supplémentaire.

- *Encouragez le plaisir au travail.* On passe tellement de temps au travail, autant y avoir du plaisir! Encouragez l'humour. Créez des concours à saveur humoristique (le vendeur numéro 1 de la journée recevra cette magnifique boîte de chocolat. Libre à lui de la garder ou de la partager en fin de journée). Affichez, dans la salle des employés, une pensée du jour susceptible de faire sourire tout le monde.

- *Soyez un exemple.* Vivez vous-même les valeurs énoncées plus haut et félicitez les gens qui le font également. Parlez au *nous.* Soyez inclusif.

- *Célébrez!* Cet élément est tellement important que nous lui consacrerons le chapitre dix-huit.

- *Partagez les fruits de la réussite.* Vous n'arriverez pas à créer un véritable sens de la communauté si vous créez artificiellement de la concurrence interservices. Ce que reçoivent les uns ne devrait pas être perçu comme une perte par les autres. Par exemple, tous devraient en sortir gagnants si vous dépassez les objectifs et qu'un bonus est versé. Dans trop d'organisations, on encourage le travail d'équipe, mais on récompense les résultats individuels. Allez vous étonner ensuite si les employés ne savent pas sur quel pied danser.

- *Encouragez et participez aux mouvements spontanés de charité.* Un collègue vit un moment particulièrement difficile (maladie, drame, etc.) et une collecte de fonds est organisée dans le but de lui venir en aide. Félicitez les gens qui ont eu l'idée et contribuez. Ce genre d'événement rapproche les gens et les élève à un autre niveau.

La cohésion conférera à votre organisation un avantage stratégique de taille. Elle devrait vous permettre de faire grimper votre taux de rétention du personnel. Il est difficile de quitter un milieu de travail où les gens se sentent unis.

# TROISIÈME PARTIE
# Orchestrez
# le changement

L'homme ne peut découvrir de nouveaux océans
tant qu'il n'a pas le courage de perdre de vue la côte.

– ANDRÉ GIDE

*Le changement n'est pas facile. Il décourage, effraie, oblige à se remettre en question. Il nous oblige à quitter cette zone de confort dans laquelle on se sent tellement bien. C'est d'autant plus vrai chez ceux qui ont connu le succès par le passé et qui s'imaginent qu'il est garant de l'avenir. Or, personne ne peut s'asseoir sur ses lauriers. Le changement relègue rapidement ces dinosaures au rayon des souvenirs.*

*Vous êtes maintenant un superleader. Vous avez fait en sorte que vos employés prennent racine dans votre service et ils sont maintenant fidélisés. Cela ne veut pas dire qu'ils goberont automatiquement toutes vos annonces de changement. Même s'ils vous font confiance, il y aura toujours, au fond de leur esprit, une petite voix qui leur dira que, cette fois-ci, vous n'avez peut-être pas raison...*

*Cette troisième partie vous apprendra à conjuguer le changement au présent et à le faire embrasser par presque tous les membres de votre équipe. Plus particulièrement, vous apprendrez :*

- *à faire réaliser à chacun qu'il est déjà un expert en changement ;*

- *à présenter les besoins de changement de manière persuasive ;*
- *à comprendre pourquoi il est si difficile de se débarrasser de ses vieilles habitudes ;*
- *à prévoir d'où viendront les principales résistances ;*
- *à faire grimper le désir de changement ;*
- *à réduire la crainte de l'échec ;*
- *à réaliser l'importance de célébrer les succès.*

*Ensuite, finie l'exaspération. Au lieu de lever les yeux au ciel en vous plaignant qu'ils ne veulent pas comprendre, vous vous surprendrez à les voir proposer eux-mêmes des changements dont la nécessité vous sautera aux yeux. Ils arriveront même avec des échéanciers et des arguments convaincants.*

*En effet, au fil du temps, vos troupes réaliseront que, loin d'être un événement soudain, le changement est plutôt une philosophie de gestion ou de vie. Il est constant et quotidien.*

*Vous vous rappelez la fable du chêne et du roseau de Jean de la Fontaine? Le chêne s'enorgueillit d'être droit et fort et de ne pas plier au moindre vent. Survient alors un orage. Le roseau plie, certes, mais il relève la tête une fois la tempête passée. Le chêne, quant à lui, git déraciné. Il avait beau être grand et fort, il n'a pas su s'adapter.*

*Au niveau organisationnel, le changement représente cette tempête. Votre équipe a le choix d'être le chêne ou le roseau. Qu'est-ce que ce sera?*

CHAPITRE DOUZE

# Dédramatisez le changement

*Ce n'est rien. Tu le sais bien, le temps passe.*
*Ce n'est rien.*

— JULIEN CLERC

Il est rare que l'annonce d'un changement soit accompagnée d'applaudissements et de rires. Les gens n'aiment pas abandonner leur routine. D'entrée de jeu, donc, aucun changement n'est bienvenu. Sans égard à la situation, sans égard aux acteurs, personne n'aime se remettre en question, ou voir son rôle ou ses façons de faire réévalués. Nous n'aimons pas nous retrouver sous la loupe du changement. Cela nous insécurise et nous amène à imaginer les pires événements:

- *Je ne serai pas capable de m'adapter.*
- *Je suis trop vieux pour apprendre.*
- *Pourquoi changer ça maintenant? On a toujours fait ça comme ça.*
- *Ils m'en demandent trop. Je vais perdre mon emploi.*
- *Les clients n'aimeront pas ça. Ils vont nous déserter.*

Mais avons-nous le choix ? En 2007, je publiais un livre intitulé *Faites votre C.H.A.N.C.E.* Dans celui-ci, je présentais les principales habitudes qui distinguent ceux qui, dans la vie, sont considérés comme étant chanceux et ceux qui passent pour des malchanceux systématiques.

Parmi ces six habitudes, il y en a une qui a un rapport avec la manière dont on fait face aux obstacles qui, régulièrement, se présentent à nous. Certains les voient comme des catastrophes irrémédiables. Ce sont les malchanceux. Souvent, ils n'arrivent même pas à s'en relever.

D'autres les voient comme des rites initiatiques, des passages nécessaires pour atteindre un autre niveau. Ceux-là auront des réactions particulières lorsqu'ils seront confrontés à des imprévus.

- *Ils se diront que ça pourrait être pire.* Il est toujours possible de trouver pire que ce qu'on vit. Sans mettre un baume sur leur plaie, cela leur permet de replacer leur situation dans son contexte.

- *Ils se demanderont comment ils peuvent rajuster le tir.* Si ça ne fonctionne pas d'une manière, ça fonctionnera probablement d'une autre. Inutile de se sentir anéantis par l'échec du jour.

- *Ils se diront que ce n'est pas la première fois que les choses ne se passent pas comme prévues.* La vie est un éternel recommencement. Ils sont déjà passés par là et ce n'était pas la fin du monde. Alors pourquoi s'énerver aujourd'hui ?

C'est ce genre de pensées qui caractérise les gagnants en période de changement. Les imprévus les dérangent, certes, mais ils ne considèrent pas que c'est la fin du monde. Ils sont prêts à aller plus loin et à trouver ce que les obstacles recèlent de trésors. Ils sont ouverts au monde et à ce que des circonstances changeantes peuvent leur rapporter en guise de récompenses.

À l'aube d'un changement (et ceux-ci sont continus), cet état d'esprit devrait être partagé par toutes vos troupes. Comment y arriverez-vous? Je vous offre, dans ce chapitre, cinq activités qui vous permettront d'y arriver.

## PREMIÈRE ACTIVITÉ :
### LE TÉMOIGNAGE PERSONNEL

Avez-vous déjà vécu un événement qui, sur le coup, vous a semblé être une catastrophe dont vous ne verriez jamais la fin? Comment avez-vous réagi et comment, au bout du compte, vous en êtes-vous sorti?

Je suis persuadé que vous pouvez trouver, dans votre passé personnel, des événements où vous avez surmonté un revers ou un changement soudain et que vous avez réalisé, finalement, que c'était bon pour vous.

Si tel est le cas, partagez-le avec vos troupes. Qu'avez-vous déjà vécu qui s'est avéré un changement important, mais qui, au fond, était pour le mieux? Qu'est-ce que ce changement vous a permis de découvrir? Qu'est-ce qu'il vous a permis de réaliser? Ceux qui sont ouverts au changement en retirent généralement des bénéfices. Qu'est-ce que cela a été pour vous?

## DEUXIÈME ACTIVITÉ :
### LE CHANGEMENT BIENFAISANT

Tout le monde a, une fois dans sa vie, traversé une épreuve qui semblait être la fin du monde, mais qui, au bout du compte, s'est avérée une bénédiction. Quelques exemples suffiront à illustrer cette possibilité :

- Il y a deux ans, Sylvie a eu la surprise de sa vie quand son conjoint a demandé le divorce. Elle ne pensait pas qu'elle arriverait à traverser cette épreuve. Pourtant, elle est aujourd'hui resplendissante. Elle a trouvé un nouvel amour. Ensemble, le couple nourrit des projets. Comme elle se plaît maintenant à le dire, ce qu'elle appelait une catastrophe s'est avérée une bénédiction.

- Il y a plusieurs années, Didier a perdu son emploi. Sur le coup, il a pensé que c'était la fin du monde. Aujourd'hui, il avoue qu'il ne retournerait jamais en arrière. Cette «catastrophe» lui a permis de développer ses talents et il vit maintenant une carrière qui le comble.

- Voici comment on traitait un paiement par carte de crédit dans mon premier emploi: quand le client nous tendait sa carte, on commençait par fouiller dans une brochure pour vérifier si la carte était encore valide. Si elle l'était, on prenait un formulaire, on y copiait le numéro de carte du client et le montant de la transaction. Ensuite, on appelait *Chargex* ou *Master Charge* et on demandait un numéro de confirmation. Le numéro était écrit à la main sur le formulaire que le client devait ensuite signer. Tout cela prenait un temps fou, mais quand les terminaux électroniques sont arrivés, plusieurs personnes ne souhaitaient pas en entendre parler. Pensez-vous que les gens qui travaillent en boutique, aujourd'hui, s'en passeraient?

Demandez à chaque membre de votre équipe de raconter un tel événement et le contexte dans lequel il s'est produit. Si le groupe est trop nombreux, divisez-le en groupes de cinq ou six personnes. Vous découvrirez que nous avons tous pensé, à un moment donné, qu'une situation était catastrophique, alors qu'elle était un cadeau que le destin nous envoyait.

### TROISIÈME ACTIVITÉ :
### LES EXPERTS EN CHANGEMENT

Divisez votre groupe en petites équipes et annoncez-leur que la prochaine activité permettra aux vainqueurs de se mériter une récompense. Les règles du jeu sont simples: chaque équipe doit dresser une liste de changements survenus depuis l'enfance. Celle qui en aura trouvé le plus sera déclarée gagnante. La partie durera vingt minutes.

Après ce temps, faites un tour de table en demandant à chaque équipe combien de changements elle a trouvés. L'équipe gagnante doit lire sa liste au reste du groupe. Les autres peuvent réagir en ajoutant des changements qui n'ont pas été cités.

Vous serez surpris par l'abondance des réponses. La télé en couleurs, l'Internet, le recyclage, les déménagements le premier juillet, les guichets automatiques, les téléphones cellulaires, le compostage, l'interdiction de fumer dans les lieux publics, l'éclatement de l'URSS, etc. Nous vivons dans un monde en constante mutation.

C'est justement la conclusion à laquelle devrait arriver le groupe. Nous avons baigné dans le changement toute notre vie. Nous en sommes tous des experts. Il n'y a pas de raison que le changement nous fasse peur.

## Quatrième activité :
### LES CHANGEMENTS À VENIR

Demandez maintenant à vos collègues de jouer aux prospec-
tivistes et de prévoir tous les changements susceptibles de
survenir au cours des dix prochaines années. Chaque équipe
devra présenter ses résultats. L'équipe gagnante sera celle
qui aura obtenu le plus d'applaudissements.

Vous serez surpris de la capacité de vos troupes à se projeter dans l'avenir. Ces gens savent que nous sommes constamment en mouvance. C'est simplement qu'ils aimeraient
qu'il en soit autrement.

## Cinquième activité :
### LES DANGERS DE LA STAGNATION

J'ai toujours aimé la musique et, il y a de cela de nombreuses
années, j'achetais mes disques chez un disquaire de Drum-
mondville. Quand les CD sont arrivés, mon disquaire a
décrété que cette technologie n'avait pas d'avenir et qu'il allait
continuer à vendre seulement des disques en vinyle. Moins
d'une année plus tard, le commerce fermait ses portes.

Pendant des années, Kodak a contrôlé son marché. Le
nom était devenu un terme générique. Quelle que soit la marque de son appareil photo, on l'appelait un Kodak. La compagnie a déjà eu jusqu'à 65 000 employés. Mais quand la
technologie est passé de l'argentique au numérique, elle n'a
pas fait le saut. En quatre années seulement, elle n'était plus
que l'ombre d'elle-même. En 2011, en une seule séance, ses
actions chutaient de 70 %.

Ces deux exemples ne sont que cela: des exemples. De telles situations ont probablement été vécues par des entreprises œuvrant dans votre secteur d'activité. Si tel est le cas, rédigez l'histoire de ces entreprises et demandez à vos employés d'en tirer des leçons. La réponse sera toujours la même: ceux qui ne s'adaptent pas disparaissent.

Vous pouvez également, au lieu d'offrir un cas, faire travailler de nouveau vos gens en équipe. L'équipe gagnante sera celle qui pourra identifier le plus d'entreprises à avoir disparu au cours des vingt dernières années. Tentez ensuite, tous ensemble, de vous rappeler la cause de la disparition de ces organisations passés.

## LE DARWINISME ÉCONOMIQUE

Les dinosaures ont déjà régné sur le monde, mais, faute de s'adapter, ils ont fini par disparaître. Toute la théorie de l'évolution est basée sur ce qu'on appelle le darwinisme: les êtres vivants d'aujourd'hui résultent de la sélection naturelle. Ceux qui ne s'adaptent pas périssent. C'est le plus apte qui survit et qui a des descendants.

Il en va de même en affaires. Les plus aptes prospèrent. Les autres disparaissent. Il y aura bien des situations où l'État maintiendra les grabataires en vie avec quelques subventions, mais ceux qui ne s'adaptent pas périront tôt ou tard (quand les largesses de l'État se feront plus rares).

C'est pour cela que, loin de se sentir protégés dans un cocon confortable, les membres d'une organisation devraient se sentir nerveux quand le rythme des changements ralentit et que les nouvelles initiatives se raréfient. Se pourrait-il alors que la haute direction ait cessé de se remettre en question et qu'elle se soit assise sur ses lauriers?

C'est ce que ces cinq activités vous permettront de passer comme message d'une réunion à l'autre. Votre organisation s'adapte ? Bravo ! Elle aura de plus grandes probabilités d'exister encore dans dix ans et chacun de ses membres aura eu la chance d'améliorer ses conditions de travail d'ici là.

CHAPITRE TREIZE

# Apprenez à convaincre

*La persuasion est souvent plus efficace que la force.*

– ÉSOPE

Trop souvent, les changements sont annoncés sans qu'on se donne la peine de convaincre les gens de leur bien-fondé. On annonce que, dorénavant, les choses devront se faire de telle ou telle manière et on s'attend à ce que tous hochent la tête, applaudissent la décision et modifient immédiatement leurs habitudes.

On s'étonne ensuite, quelques semaines plus tard, que rien n'ait changé et que les vieilles habitudes aient repris leur place. Mais si vous ne vous donnez pas la peine de convaincre les troupes, il vous sera fort difficile d'implanter quelque changement, aussi nécessaire soit-il. Vous créerez un peu d'inconfort et le naturel reviendra au galop.

Comment pouvez-vous justifier un changement? Il va sans dire que si vous avez bien travaillé sur les conseils présentés dans les deux premières parties de ce livre, vous êtes crédible et vous avez une longueur d'avance. Mais voyons comment aller plus loin encore. Comment pourriez-vous avoir plus d'impact sur le désir de changer des gens que vous dirigez?

## UNE MISE EN CONTEXTE POSITIVE

Pourquoi cette annonce de changement à ce moment-ci? Qu'est-ce qui s'est passé pour la justifier? Quels sont les risques si rien n'est fait? Comment se sont déroulés les événements?

Sans mise en contexte, vous ne pourrez pas compter sur des gens allumés? Pourquoi? Parce que les gens allumés ne se contentent pas de se faire dire ce qu'ils doivent faire. Ils souhaitent comprendre. Ils ont besoin de connaître la situation dans son ensemble. C'est à cette condition qu'ils seront en mesure de situer ce que vous leur demanderez de faire bientôt.

Cette mise en contexte ne devrait jamais donner dans l'autoflagellation. Ce que vous faisiez avant n'était pas nécessairement mauvais. Ce besoin de changement ne vous inscrit pas dans le camp des idiots congénitaux. Ce que vous faisiez avant était bon... avant, dans les circonstances de l'époque. Mais les circonstances ont changé. Et comme vous êtes des battants, vous allez maintenant vous adapter afin de continuer à être des gagnants malgré cette nouvelle donne.

Vous voyez l'importance d'une mise en contexte positive? Elle ne jette pas la pierre. Elle ne jette pas l'opprobre sur les décisions et les décideurs d'antan. Elle fait simplement état de la situation. Elle jette un regard objectif sur la réalité organisationnelle. En fait, une bonne mise en contexte pourrait, par exemple, suivre la structure présentée dans ce tableau:

| Plan de mise en contexte |
|---|
| 1. La manière dont étaient faites les choses jusqu'à maintenant. |
| 2. La raison pour laquelle cette façon de faire était alors optimale. |
| 3. Ce qui a changé depuis. |
| 4. Les conséquences possibles si nous continuons comme avant. |
| 5. Une possibilité d'adaptation (le changement proposé). |
| 6. Les avantages possibles pour l'organisation. |
| 7. La réitération de votre confiance dans l'équipe. |

## PARLEZ LEUR LANGAGE

Robert Cialdini, un expert mondial en tout ce qui touche la persuasion, mentionne que les meilleurs vendeurs ne sont pas ceux qui ont développé le meilleur argumentaire ou ceux qui sont capables de convaincre tout le monde. Il suggère même qu'il est impossible de développer une telle chose.

Pour Cialdini, les meilleurs vendeurs sont ceux qui sont capables de s'adapter à leur auditoire et de les faire vibrer en fonction de leur réalité personnelle. Ainsi, vous ne parlerez pas de la même manière à un président de compagnie qu'à son comptable, à un expert en marketing qu'à un ouvrier de production. C'est lorsque vous adaptez votre discours à ceux qui l'entendront que vous devenez capable de les faire vibrer, de les allumer.

Qui fera partie de votre auditoire ? Quels mots les feront vibrer ? Que risquent-ils personnellement de perdre si le changement n'est pas engagé ? Que risquent-ils de gagner si c'est une réussite ? Quelles sont leurs craintes ? Quelles sont leurs forces? Trouvez des réponses à toutes ces questions pour chaque groupe d'employés.

Ce ne sera pas nécessairement évident pour tout le monde. Des rencontres individuelles pourraient vous aider à préparer la grande annonce. Par exemple, allez voir votre comptable et demandez-lui quels avantages il en retirerait si... Faites de même avec votre directeur de la recherche et du développement. Prenez des notes. Vous serez en mesure de parler leur langage lors de votre présentation.

Surtout, si vous venez tout juste de suivre un cours sur le sujet, la pire erreur consisterait à parler votre langage quand vous tenterez de vendre un programme de changement. Vous avez peut-être appris à parler en terme de forces, faiblesses, menaces et opportunités. Mais vos employés n'ont pas tous fait un cours de stratégie des affaires à l'université. Vous les endormiriez en vous y prenant de la sorte.

Les gens font confiance à ceux qui leur ressemblent. Ne vous les aliénez pas en parlant pour qu'ils ne vous comprennent pas. Adressez-vous à chacun dans son langage. Vous en sortirez gagnant.

## QUELQUES ARMES
### DE PERSUASION MASSIVE

Depuis des siècles, on tente de découvrir ce qui rend un discours persuasif. Les philosophes et les psychologues se sont tour à tour penchés sur la question. Voici quelques trucs supplémentaires qu'ils ont découverts.

- **Le contraste.** Quand arrive le temps de prendre une décision, les gens préfèrent pouvoir comparer. Cela réduit leur crainte de se tromper. Si plusieurs options s'offrent à votre équipe, préparez un tableau présentant les forces et faiblesses de chacune, puis encouragez la discussion. Les gens soutiennent encore plus une décision qu'ils ont contribué à prendre.

- **La visualisation.** Les gens ont plus envie de se lancer dans un projet s'ils sont capables, à l'avance, d'en goûter les bénéfices. Pouvez-vous peindre en mots le plaisir que vous aurez collectivement quand vous aurez repris le leadership de votre industrie, quand vous aurez terminé la mise à niveau de votre logiciel de gestion, quand vous aurez lancé ce nouveau produit...?

Amenez vos gens à goûter à l'avance les fruits de la réussite et ils seront plus enclins encore à investir les efforts nécessaires à la réalisation du projet. C'est comme lorsque vous passez devant un restaurant et que vous humez les bons plats qu'il offre. Vos sucs gastriques se mettent en branle et vous avez soudainement faim.

C'est ce que vous font vivre vos propres fournisseurs lorsqu'ils vous promettent, par exemple, un voyage dans le Sud si vous atteignez tel volume de vente pour l'année. Ils commencent par vous informer. Ils vous expédient des photos de l'endroit. Ils vous *courriellent* un lien présentant en vidéo ce que vous vivrez. Ils vous font goûter à l'avance le plaisir que vous aurez et ils exacerbent en vous le désir d'atteindre le volume de ventes espéré.

- **La preuve sociale.** Les témoignages sont d'une grande valeur quand arrive le temps de convaincre des gens d'adhérer à telle ou telle vision de l'avenir. Les anecdotes, les statistiques, les cas vécus sont autant de matériel pouvant faire réaliser à votre auditoire l'intérêt de ce que vous proposez.

Connaissez-vous d'autres organisations qui se sont retrouvées dans votre situation et qui ont opté pour la solution que vous préconisez ? Dans l'affirmative, citez-les ou, mieux encore, demandez à un de leurs représentants de venir livrer son propre témoignage. Du coup, votre proposition gagnera en crédibilité.

Pouvez-vous citer des concurrents qui ont adopté votre solution au cours des derniers mois ? Nommez-les et affichez leur logo à l'écran, ce qui en dira beaucoup sur les enjeux actuels.

Quarante pour cent des hommes et 60 % des femmes réagissent positivement à un témoignage quand arrive le temps de prendre une décision. Ne vous privez pas d'un outil aussi puissant.

- **La rareté**[7]. Bonaparte a dit que les deux leviers de la puissance sont la crainte et les intérêts. Il est vrai que la crainte, quand elle ne les immobilise pas, peut pousser les gens à l'action. Vous pouvez utiliser la rareté pour mentionner tout ce que votre organisation risque de subir si elle se laisse damer le pion par la concurrence, ou vous pouvez accélérer la prise de décision en mentionnant que vous serez, par exemple, en retard pour la rentrée si aucune décision n'est prise avant telle date. C'est est un outil de persuasion très efficace.

- **L'autorité**. Existe-t-il une personne que la majorité des membres de votre organisation admirent et considèrent comme une autorité ? Une personne en qui ils croient beaucoup. Ce peut être un fournisseur, un important

---

7. En persuasion, il y a rareté si je crains de perdre quelque chose ou si j'anticipe de gagner quelque chose que je n'ai pas encore.

client, un expert reconnu ou quiconque gravitant autour de votre organisation.

Cette personne pourrait vous être d'une grande aide si elle venait livrer son message à vos troupes quand vous annoncerez votre initiative. C'est une partie de son capital de sympathie qui serait alors reliée à votre projet.

Comme vous pouvez le constater, ce ne sont pas les outils de persuasion qui manquent. Leur utilisation doit cependant être planifiée. Ce n'est pas au sortir de votre rencontre que vous devrez vous mordre les doigts. C'est tout de suite que vous devez penser comment chacun peut s'insérer dans votre stratégie.

## QUI FERA QUOI ET QUAND ?

Votre discours aura beau être rassembleur. Il aura beau amener chacun à hocher la tête en se disant que vous avez raison. Vous aurez beau faire naître en chaque personne le besoin de se lancer dans l'action afin d'avoir le dessus sur la concurrence. Il ne se passera rien si vous ne poussez pas vos gens à l'action avant de mettre un terme à la rencontre. Vous devez les amener à s'engager, à se projeter dans l'avenir et à accepter des responsabilités, si nécessaire.

Pour ce faire, terminez en disant ce qui va maintenant arriver, comme si le projet était déjà accepté. Que va-t-il se passer ? Quelles en seront les étapes ?

Ensuite, demandez à certaines personnes si elles sont prêtes à accepter telle ou telle responsabilité. Amenez-les à s'engager. C'est lorsqu'on se sent engagé qu'on est prêt à poser le geste attendu de tous. Tant qu'on se contente d'opiner du bonnet, on ne se sent pas vraiment concerné.

Combien de fois avez-vous quitté une réunion où tous étaient d'accord, mais où personne ne s'était engagé? À la rencontre suivante, rien n'avait avancé. Non pas parce que les gens étaient irresponsables, mais bien parce qu'ils respectaient en tout premier lieu leur engagement. Et si vous n'en faisiez pas partie, tant pis.

Pour ces raisons, un tableau, tel que celui présenté ci-dessous, devrait être rempli. Il donnera à chacun l'occasion de s'engager et d'entreprendre la réalisation du changement dans les plus brefs délais. Mettez le plus de noms possible. Tous devraient se sentir concernés.

| Quelle étape? Quelle responsabilité? | Qui s'engage? | Date-limite |
|---|---|---|
| | | |
| | | |
| | | |
| | | |
| | | |

Si personne ne s'engage, il ne se passera rien. Allez plus loin en offrant un macaron aux couleurs du projet pour tous ceux qui s'engageront et terminez la rencontre lorsque tous en arboreront un. Ça y est! Votre équipe est engagée et prête à passer dans une nouvelle réalité, une réalité exigée par votre environnement changeant.

## QUE RAPPORTEREZ-VOUS À LA MAISON?

Voilà! la présentation est terminée. Théoriquement, c'est terminé, mais vous souhaitiez plus qu'un «show de boucane». Vous souhaitiez avoir un impact durable. Alors, qu'est-ce que vos employés rapporteront à la maison ce soir? De quoi parleront-ils autour de la table? Vous pouvez avoir un impact sur la suite des choses.

Quelle formule pourriez-vous utiliser pour résumer votre message? En voici quelques exemples:

- 50\14 (si vous visez les 50 % de part de marché d'ici 2014);
- 1-ABC (nous serons les premiers à arborer la norme ABC);
- *www.noussommeslesmeilleurs.com* (si vous avez créé un site Web pour mettre en valeur ce nouveau défi).

Offrez à vos employés quelque chose de matériel. Cela peut être un t-shirt arborant votre nouveau slogan, un objet promotionnel ou l'adresse (URL) d'un nouveau site Web. N'importe quoi qui leur permettra de se rappeler, au cours des prochaines semaines, qu'ils viennent de s'engager dans une nouvelle quête.

Ensuite, comme nous le verrons plus loin, rappelez-leur constamment le défi en cours. Faites-en des affiches. Faites-en des bannières sur votre Intranet. Faites-en des encadrés dans votre journal interne. Ce nouveau défi vient de passer au premier rang des préoccupations de l'organisation, alors faites en sorte qu'il soit perçu comme tel.

CHAPITRE QUATORZE

# Prenez conscience
# du pouvoir des habitudes

*Je n'ai pas de mauvaises habitudes.*
*Elles peuvent être de mauvaises habitudes*
*pour les autres, mais, pour moi, elles sont bonnes.*

— EUBIE BLAKE

Ça y est! Vous avez fait votre annonce. Ils ont quitté hier soir dans l'enthousiasme, chacun ayant pris des résolutions. Vous leur avez dépeint un futur souhaitable qui les tente. Bref, tout va bien. Le changement que vous avez proposé sera en place dans un temps record.

Le paragraphe précédent décrit un bel idéal, n'est-ce pas? Ce serait bien... mais ça n'aura pas lieu. C'est beau et improbable. Avant de vous imaginer que tout se fera en criant ciseaux, découvrons ensemble le pouvoir des habitudes. Ce chapitre sera le plus personnel de ce livre. C'est à vous, en tant qu'individu, que je m'adresserai. Mon objectif est de vous faire réaliser qu'il est tout à fait normal que les choses ne changent pas du jour au lendemain.

## Parlons de vous

Croisez les bras. Quelle main repose sur votre biceps et quelle main se trouve cachée? Quel est le premier pied que vous posez sur le sol le matin? Avec quelle main signez-vous vos chèques?

Croisez maintenant vos bras, mais dans l'autre sens. Comment vous sentez-vous? Apposez votre signature sur un papier avec votre autre main. Comment est-ce que ça se passe?

Notre cerveau est une merveille de l'évolution. Il est en continuelle reconstruction. Si vous posez un geste une fois, une connection[8] est créée. Si vous reposez le geste, cette connection est renforcée. C'est ainsi que, dans votre cerveau, un petit sentier devient une ruelle, puis une rue, une avenue, un boulevard et une autoroute. À chaque fois, le geste devient plus facile, plus automatique. Les habitudes nous amènent en mode inconscient, un mode qui exige un minimum d'énergie (d'attention) pour être fonctionnel.

Cela vous arrive peut-être quand vous conduisez. Au début, vous êtes conscient de vos gestes, mais vous finissez par être emporté dans le flot de vos pensées et vous reprenez conscience de votre conduite quelques coins de rue avant votre destination. Qui conduit pendant que vous pensez à toutes sortes de choses? C'est vous, mais en mode automatique. Vous n'êtes pas vraiment là.

Combien de choses faites-vous en mode automatique chaque jour, en empruntant les voies rapides de votre cerveau? Les experts pensent que c'est plus de 80% de vos

---

8. Cette connection, c'est une synapse, c'est-à-dire une zone de contact fonctionnelle qui s'établit entre deux neurones, ou entre une neurone et une cellule réceptrice.

gestes qui sont exécutés de façon machinale, sans que vous ayez à vous questionner.

Et vous souhaiteriez que, simplement parce que vous leur demandez de changer, vos employés optent pour une voie plus difficile, un sentier ou une ruelle? Comment vous êtes-vous senti quand vous avez signé avec votre autre main? Ce geste a été plus difficile, n'est-ce pas? Il vous a demandé plus d'efforts, et le résultat final a été moins bon. C'est ce que vous imposez dans un premier temps à vos employés quand vous leur demandez de changer: travaillez davantage et produisez moins.

Mettez-vous donc à leur place. Malgré leur bonne volonté, il est tellement facile de retomber dans les ornières de l'habitude. Seriez-vous capable, si je vous le demandais, de faire un parcours en automobile en restant bien conscient à chaque instant, sans tomber dans la lune? Pourriez-vous le faire plusieurs jours d'affilée?

Les habitudes nous facilitent la vie. Le problème, c'est qu'elles perdent quelques fois leur raison d'être et que, à ces moments-là, elles peuvent vraiment commencer à vous nuire.

## Vos vieilles habitudes servent à quelque chose

Avez-vous de vilaines habitudes? L'alcool? le tabac? la vie sédentaire? Vous arrive-t-il de partir au centre commercial et de dépenser alors que vous n'avez besoin de rien? Dans l'affirmative, vous avez de mauvaises habitudes.

Il peut être tentant, quand on entretient consciemment de mauvaises habitudes, de s'imaginer qu'on n'a qu'à arrêter (de boire, de fumer, de ne rien faire ou de dépenser) pour éliminer la mauvaise habitude. Mais c'est souvent peine perdue.

Imaginez que je vous demande de ne pas penser à un éléphant rose. Ne pensez pas à un éléphant rose. Surtout pas à ses belles ailes ciselées et à sa joyeuse trompe d'où surgissent des bruits bizarres... Que voyez-vous ? Qu'entendez-vous ? Un éléphant rose, évidemment ! Notre cerveau ne fonctionne pas par la négative. Il vous livre ce que vous nommez. Et vous ne pouvez pas lui demander de ne pas imaginer un éléphant rose aux ailes ciselées, car c'est exactement ce qu'il fera.

Si vous vous dites que vous ne boirez plus, que vous ne fumerez plus, que vous ne vivrez plus en sédentaire et que vous ne dépenserez plus comme un dingue, vous vous programmez pour un échec. Les vieilles habitudes ne peuvent pas être simplement effacées. Elles doivent être remplacées.

Pour y arriver, vous devez, dans un premier temps, vous demander à quoi vous servent vos mauvaises habitudes. Quand, par exemple, ressentez-vous le besoin de vous y adonner ? Voyons quelques réponses possibles :

- Léandre : *Je bois surtout les jours où je suis seul à la maison. Ces jours-là, je débute tôt et j'arrête quand je suis prêt à dormir. Le lendemain, je ne me souviens pas de grand-chose.*

- Sophie : *C'est quand je me sens stressée au travail que je me lance dans la consommation. Ces journées-là, je dépense allègrement et j'avoue que je me sens coupable le soir venu.*

À quoi vous servent vos mauvaises habitudes ou, plus précisément, quand ressentez-vous le besoin de vous y plonger ? Dans le cas de Léandre, c'est quand il est seul. Dans le cas de Sophie, c'est quand elle est stressée. Il ne leur servirait à rien de dire qu'ils arrêtent l'alcool ou le magasinage. Ce qu'ils doivent faire, c'est se trouver des activités de remplacement quand les événements déclencheurs se présentent.

Léandre pourrait se planifier des activités les jours où il est seul, et Sophie pourrait prendre l'habitude d'aller s'entraîner quand elle se sent stressée. Dans les deux cas, ils viendraient à bout de leurs mauvaises habitudes sans se sentir privés. Au lieu de se priver d'une activité qu'ils apprécient et qu'ils font de manière automatique, ils combleraient leurs journées avec des activités bénéfiques. Au lieu de penser à un éléphant rose, ils penseraient à une visite au musée ou à une séance d'entraînement.

Il en va de même de votre personnel. Ne mettez pas l'accent sur ce qu'ils ne doivent plus faire, car ils ne penseront qu'à cela. Mettez l'accent sur les nouveaux comportements à développer. Vos chances de succès seront meilleures.

De plus, tentez de découvrir pourquoi les manières actuelles de faire les choses ont été déterminées ainsi et demandez-vous par quoi vous pourriez les remplacer. Comprenez que les habitudes ne sont pas faciles à abandonner.

## N'OPTEZ PAS POUR L'ABANDON PRÉMATURÉ

Imaginez que vous souhaitiez arrêter de fumer. Depuis des années, vous fumez deux paquets par jour et, il y a trois jours, vous avez décidé d'arrêter d'un coup. Vous avez tenu bon pendant deux jours, mais ce matin vous en avez fumé une. Est-ce à dire que vous êtes incapable de changer, que vous ne valez rien ?

Pas du tout, mais beaucoup de gens ont des aspirations trop élevées quand ils entreprennent un projet et, s'ils trébuchent en chemin, ils s'imaginent qu'ils ont visé trop haut, que ce n'est pas pour eux et qu'ils n'en valent pas la peine.

C'est ridicule. Le changement est un *work-in-progress*, un projet à achever. Ce n'est pas parce que vous trébuchez une journée que vous ne serez jamais capable de changer. Cette façon de voir repose sur une vision manichéenne de la réalité. Ce n'est pas parce que vous rechutez que vous êtes faible et que vous ne méritez pas de réussir votre projet. Si vous avez fumé aujourd'hui, vous n'avez pas raté votre projet d'arrêter. Vous avez simplement connu une rechute pendant votre sevrage et ce n'est pas la fin du monde.

La différence n'est pas mince. C'est tellement facile de décréter qu'il n'y a rien à faire quand, dans les faits, vous êtes simplement en train de vous débarrasser d'une mauvaise habitude. Une habitude à laquelle vous vous accrochez de manière automatique.

Il en va de même avec vos troupes. Ce n'est pas parce que vos nouvelles directives ne sont pas suivies à la lettre que votre autorité est bafouée. C'est juste que vos employés sont en train de s'adapter à une nouvelle réalité et que cela peut prendre du temps. Soyez compréhensif dans les premiers temps.

### AIDEZ-LES À BÂTIR
### LEURS NOUVELLES HABITUDES

Vous pouvez cependant accélérer le processus. Premièrement, avant d'imposer de nouvelles règles à vos employés, vous pourriez les libérer des anciennes. C'est tellement facile, dans une organisation, au fil des nouvelles idées, d'imposer de nouvelles règles. Mais si vous n'éliminez pas les anciennes, imaginez à quel point vous pouvez immobiliser les troupes, d'autant plus que plusieurs de ces règles sont contradictoires.

Faites donc du ménage. Au fil des générations de gestionnaires, dans certaines organisations, il s'est construit un tel échafaudage de règles et de politiques que les gens, pour faire plaisir à la bureaucratie, n'ont plus le temps de faire leur travail. C'est le cas de nombre de médecins présentement au Québec qui doivent voir moins de patients s'ils souhaitent être bien vus par la hiérarchie. Ils ont des formulaires à remplir...

Prenez cet engagement: chaque fois que vous ajoutez une nouvelle directive, enlevez-en une ancienne. Ne les étouffez pas sous un tas de règles qui n'ont plus leur raison d'être. Vous leur demandez de changer? Changez également.

Deuxièmement, une habitude néfaste est plus facile à perdre quand on la remplace. Par exemple, si vous remarquez que vous vous lancez dans l'alcool chaque fois que vous êtes seul, au lieu de dire que vous ne boirez plus, planifiez des activités autres quand vous prévoyez être seul. Cela vous occupera.

De même, au lieu de demander à vos employés de ne plus faire telle chose dans telle situation, dites-leur quoi faire dorénavant quand les mêmes circonstances se présenteront. Le changement sera beaucoup plus facile à implanter de cette manière.

Troisièmement, une habitude est plus facile à changer quand on comprend la raison du changement. Si vous vous contentez d'émettre une directive sans faire une mise en contexte, il ne leur reste qu'à hausser les épaules et à attendre que vous ayez changé d'idée. À quoi bon mettre des efforts dans une aventure dont on ne comprend pas la raison d'être?

Quatrièmement, quand arrive le temps de changer une habitude, la carotte a plus de force que le bâton. Il peut être tentant de menacer ceux qui n'obtempéreront pas, mais c'est une mauvaise stratégie. Lorsqu'ils ont peur, les êtres humains ont tendance à adopter une position de repli, à se réfugier, justement, dans leurs anciennes habitudes. Or, c'est précisément ce que vous souhaitez éviter.

Alors, au lieu d'effrayer les gens, communiquez-leur les avantages qu'ils retireront en adoptant les nouvelles habitudes que vous suggérez. Soulignez les retombées positives sur l'organisation.

Cinquièmement, une nouvelle habitude se développe avec le temps. Il ne suffit pas d'émettre une directive. Il faut communiquer, *surcommuniquer* même. Combien de temps a-t-il fallu pour que les Québécois développent une culture du recyclage? Des années. Combien de messages avez-vous reçus déjà à ce sujet? Présentement, je reviens d'un État américain qui n'en fait pas. C'est vraiment curieux de voir les gens jeter leurs bouteilles vides à la poubelle...

Sixièmement, une nouvelle habitude ne sera jamais développée si vos troupes doutent de vous. C'était d'ailleurs la raison d'être des deux premières parties de ce livre. Si vous n'avez pas l'étoffe d'un superleader, vous risquez fort de prêcher dans le désert.

Pensez au politicien en qui vous avez le moins confiance. Comment réagissez-vous chaque fois qu'il promet de faire quelque chose? Il est probable que vous leviez les yeux au ciel et que vous vous disiez que ses promesses ne se réaliseront jamais. Vous avez le même impact sur vos troupes si vous faites des annonces sans avoir développé, au préalable, les attributs d'un superleader: la bravoure, l'enthousiasme, la vision, la capacité de partager le pouvoir, d'encourager les initiatives et le désir de les mettre en valeur.

CHAPITRE QUINZE

# Prévoyez les champs de force

*La vie est une série d'expériences.*
*Chacune nous rend plus grand même,*
*mais il nous est parfois difficile de le réaliser.*

– HENRY FORD

Avez-vous déjà tenté de vous débarrasser d'une mauvaise habitude? Le tabagisme, par exemple. Il est possible que vous ayez réussi, mais fort possible, également, que vous ayez échoué.

Et pourtant, ce n'est pas parce que vous doutiez du discours officiel sur les méfaits de la nicotine. S'il suffisait d'un simple discours rationnel pour convaincre de changer une habitude, il y aurait un bon bout de temps que plus personne ne fumerait. Des forces sont inévitablement à l'œuvre et travaillent contre notre désir de changement. Quelles sont-elles?

## DEUX CONDITIONS

Dans un excellent livre intitulé *Influencer*, Kerry Patterson et ses collègues expliquent que deux conditions doivent être

présentes pour qu'une personne se lance dans un changement: le vouloir et le pouvoir.

Si vous ne voulez pas d'un changement, les requêtes des
autres ne vous convaincront pas de mettre un terme à une
vieille habitude. Par exemple, ce n'est pas parce que votre
conjoint vous sermonne chaque jour pour que vous arrêtiez
de fumer que vous allez vous lancer dans le projet. Au mieux,
vous ferez la sourde oreille. Au pire, vous mettrez votre couple en péril.

Tant qu'une personne ne souhaite pas un changement,
rien ne peut se produire. Comme le dit le proverbe: *Vous
aurez beau conduire votre cheval à l'eau, vous ne pourrez
pas l'obliger à boire.* De même, vous ne pourrez pas amener
l'autre personne à cesser de fumer. Vous ne pourrez pas
l'amener à penser comme vous. La première condition du
changement, donc, c'est le **vouloir**.

Mais le vouloir ne suffit pas pour amener quelqu'un à
changer. À preuve, il y a beaucoup de gens qui aimeraient
arrêter de fumer, mais qui ne le font pas parce que, dans leur
for intérieur, ils *savent* qu'ils n'y arriveront pas. Ils doutent de
leurs capacités. Ils pensent qu'ils n'ont pas le **pouvoir**.

Et c'est fort compréhensible: pourquoi se lancer dans
l'action quand on sait que c'est perdue d'avance? Pourquoi
investir de précieuses ressources quand on est persuadé
qu'on n'y arrivera pas? Pourquoi risquer l'échec? Sans
l'impression de pouvoir, cela ne sert à rien.

Combinés, le vouloir et le pouvoir vous dotent d'une très
grande force: l'espoir. Voici ce que je présente à ce sujet
dans mon ouvrage *Comment exploiter mes employés*:

«On peut affirmer que l'espoir est à l'origine de la plupart
des succès. Un individu se choisit un objectif (le vouloir) et

se lance dans l'action (le pouvoir). À un moment donné, il se rend compte qu'il n'atteindra pas les objectifs voulus. Il remet alors en question son projet (le vouloir), décide que celui-ci vaut la peine et entreprend de trouver une nouvelle manière de le réussir (le pouvoir). C'est en alternant entre le vouloir et le pouvoir qu'on finit par gagner.

Il existe une relation certaine entre l'espoir et la performance. Que ce soit à l'école, en affaires ou dans un sport, la capacité de se donner des objectifs et d'en imaginer distinctement les résultats multiplie l'énergie disponible et améliore les chances de succès.

Dans les organisations où cet espoir est peu répandu, on retrouve du défaitisme, du pessimisme, voire du désenchantement. Dans le pire des cas, on retrouvera un immobilisme institutionnalisé et un sentiment partagé de ne pas être à la hauteur. Dans ces organisations, il est impossible de performer à moins d'être en situation monopolistique. Et encore !»

## LES TROIS SOURCES DE RÉSISTANCE

Si vous avez déjà lu sur le changement, vous savez qu'il existe une réaction à celui-ci qu'on appelle la résistance. Par ce mot, on entend tout ce qui peut venir nuire à vos efforts de changement, aussi justifiés soient-ils. Le problème avec la notion de résistance, c'est qu'elle n'est pas très pratique. Voilà pourquoi nous aborderons le problème autrement. Au lieu de parler de résistance au changement, parlons plutôt de sources de résistance. Ces sources sont au nombre de trois.

*La première source de résistance*, c'est **l'individu**. Il existe, en effet, plusieurs raisons pour lesquelles un membre de votre organisation pourrait souhaiter voir échouer votre initiative. Ces raisons proviennent souvent d'une émotion négative.

- *Il y a la méfiance.* Si vos trois dernières initiatives se sont soldées par un échec ou si vous n'avez pas pris le temps de développer le profil d'un superleader, il est possible qu'on vous regarde avec suspicion. Personne n'a envie de s'engager corps et âme dans un combat initié par quelqu'un qui ne semble pas digne de confiance et qui traîne une réputation de perdant. C'est normal. Mettez-vous à la place des personnes concernées.

- *Il y a le doute.* Si, dans son for intérieur, un membre de votre organisation pense qu'il ne sera pas à la hauteur des défis que vous entendez lui confier, il se peut qu'il refuse de s'engager ou même qu'il sabote le projet pour éviter qu'on remarque ses faiblesses.

- *Il y a la peur.* Si un membre de votre organisation perçoit une menace dans votre projet, il y a fort à craindre qu'il tente de le faire échouer. Je me souviens, par exemple, d'une acheteuse qui, craignant de voir son pouvoir diminuer à la suite de l'informatisation des stocks dans l'entreprise, avait entrepris une campagne négative destinée à miner le projet. La peur de perdre quelque chose, qu'elle soit fondée ou non, entraîne généralement une importante résistance.

- *Il y a la colère.* Ce collègue pense peut-être que vous auriez dû le consulter avant d'annoncer votre projet. En guise de représailles, il peut maintenant être tenté de vous le faire regretter.

Toutes ces émotions, quand elles sont ressenties par rapport à votre projet, risquent de pousser les gens à le torpiller.

Les menaces n'ont pas à être réelles. Il suffit qu'elles soient perçues. Vous devrez donc tenir compte de cette première source de résistance au changement lors de la planification de votre stratégie. Si vous ne le faites pas, vous risquez fort de vous retrouver à la case départ d'ici quelques semaines.

Remarquez que ces personnes ne vous en veulent pas personnellement. C'est juste que votre projet, tel que formulé, risque d'être perçu comme une menace pour elles. Et, comme dans bien des choses, la perception a préséance sur la réalité. Tant que vous ne remettrez pas les pendules à l'heure, ces personnes auront peur de votre initiative.

Ajoutons également ici le calcul stratégique. Si quelqu'un s'imagine que le succès de votre projet risque de lui porter ombrage, il peut être tenté de le plomber même s'il ne le menace pas directement.

*La deuxième source de résistance,* c'est **le groupe**. Tout comme l'individu, le groupe peut ressentir toutes les émotions énumérées plus haut. Il peut ressentir le doute, la méfiance, la colère et la peur. Cela peut le faire figer face au changement, mais le groupe peut également avoir un impact négatif sur les personnes qui, autrement, seraient prêtes à embrasser votre initiative. Dans ce cas, le sabotage peut prendre plusieurs formes.

- *Les menaces.* Vous retrouvez ici le collègue qui va en voir un autre et qui lui suggère de ralentir la cadence, que son rendement exemplaire fait en sorte que les autres paraissent mal et que cela pourrait lui attirer des problèmes...

- *L'atteinte à la crédibilité.* Dans cette catégorie, on retrouve les employés plus anciens qui racontent aux nouveaux toutes vos défaites antérieures. Ou celui qui, dans une entreprise familiale, raconte à tous que vous n'auriez jamais eu cette promotion si vous n'aviez pas été le fils du patron.

• *Les discours apocalyptiques.* On retrouve ici celui qui, paraissant bien informé, explique à tous pourquoi vos initiatives mènent tout droit votre organisation vers la catastrophe. Il a lu un cas dans *Business Week* où la même stratégie a été catastrophique. Il a lu tel ouvrage sur la question. Il a même, jadis, suivi un cours de marketing. Bref, il sait que l'organisation va bientôt connaître un sort terrible si vos tentatives de changement ne sont pas contrecarrées.

Le groupe peut avoir un impact très négatif sur vos tentatives de changement. Il peut saper le moral des troupes les plus engagées. Il peut leur faire peur. Vous devrez en prévoir les impacts possibles et vous demander comment les atténuer ou, mieux encore, les éliminer.

*La troisième source de résistance,* c'est **l'environnement**. Imaginez que vous ayez décidé de vous débarrasser de votre alcoolisme, mais que vous viviez dans un appartement au-dessus d'un bar où, tous les soirs, la musique et une ambiance festive vous invitent à descendre... Combien de temps arriveriez-vous à maintenir vos bonnes résolutions ?

Imaginez également que vous travailliez sur une friteuse dans un restaurant, mais que l'indicateur de température de l'huile soit inopérant. Comment allez-vous vous assurer de la qualité des frites que vous produisez ? Vous ne le pourrez pas. C'est ça le problème. Il vaudrait mieux qu'on ajoute un indicateur de chaleur à votre équipement.

En rendant un environnement optimal, vous vous assurez une adoption plus rapide des changements que vous proposez. Dans des environnements non propices au changement, ceux-ci sont condamnés à l'échec.

Il en va de même de votre structure de récompenses. Que communique votre système de rémunération ? Vous ne pourrez jamais, par exemple, encourager pleinement le travail d'équipe si vous récompensez les performances individuelles, et le contraire est vrai si la nature de votre organisation vous amène à encourager la performance d'équipe au détriment de l'individu. Vous ne pourrez pas non plus encourager le travail parfait si vous récompensez le faible temps nécessaire à l'accomplissement d'une tâche.

Votre système de rémunération est, dans les faits, un système de communication. Récompensez ce qui est important pour vous et vous réaliserez rapidement que les efforts de chacun vont dans ce sens. Entretenez l'ambigüité et vous réaliserez que rien ne se passe comme vous vous y attendiez.

### ANALYSE, PRÉVISIONS ET STRATÉGIES

Vous devriez donc, avant même d'annoncer un changement, prévoir son impact et raffiner votre stratégie en complétant un tableau semblable à celui présenté à la page suivante.

Dans la première section du tableau, vous identifiez toutes les personnes visées par le changement. Ensuite, pour chacune, vous inscrivez sa réaction possible face au projet et vous trouvez des avenues afin de faire face à ces réactions. (Ne vous en faites pas, je vous en proposerai au cours des deux prochains chapitres.)

| Qui? | Incidence possible? | Que faire? |
|---|---|---|
| | | |
| | | |
| | | |
| Qui? (Groupes) | Incidence possible? | Que faire? |
| | | |
| | | |
| | | |
| Facteur environnemental | Incidence possible? | Que faire? |
| | | |
| | | |
| | | |

Dans la deuxième section, vous identifiez les groupes qui pourraient réagir de manière conjuguée. Encore une fois, tentez de prévoir les réactions et identifiez les gestes que vous pourriez poser afin d'éviter les réactions négatives. Poursuivez de la même façon pour les facteurs environnementaux.

Il est bien plus facile de prévoir les choses et de s'y préparer que d'éteindre les incendies une fois que ceux-ci se sont déclarés. Par exemple, si vous prévoyez qu'un de vos employés se sentira plus menacé que les autres, vous auriez intérêt à le rencontrer, lui dire ce qui s'en vient et le réconforter. Faites-en votre allié. De même, si une personne a un ascendant certain sur un groupe qui risque de vous poser problème, assurez-vous qu'elle comprenne bien les enjeux afin qu'elle puisse les expliquer convenablement quand l'occasion se présentera.

Le changement se prépare. S'il est mal implanté, se frapper le front en se disant «J'aurais dû faire ça...» n'arrangera pas les choses une fois les enjeux perdus.

## EN RÉSUMÉ

Il y a donc deux conditions pour qu'un changement ait lieu et trois sources de résistance, ce qui nous donne six champs de force dont il faudra tenir compte en planifiant le changement. Ces six champs de force sont illustrés dans le tableau suivant:

| Trois sources de résistance | Deux conditions | |
|---|---|---|
| | Vouloir | Pouvoir |
| Environnement | 1 | 2 |
| Groupe | 3 | 4 |
| Individu | 5 | 6 |

Comment résumer ce chapitre? Je le ferai en quelques courtes phrases. Vous souhaitez réaliser un changement?

- Assurez-vous que tous vos employés aient envie de relever le défi (vouloir).

- Assurez-vous que tous vos employés se sentent capables de relever le défi (pouvoir).

- Assurez-vous de pouvoir miser sur les groupes qui favoriseront le projet (vouloir).

- Assurez-vous de minimiser l'influence des groupes qui pourraient le plomber (vouloir).

- Formez vos groupes pour qu'ils puissent faire un succès de ce projet (pouvoir).

- Modifiez vos modes de rémunération, si nécessaire.
- Modifiez l'environnement pour favoriser le succès de votre initiative.

Vous travaillez avec des êtres humains. Vous êtes maintenant au fait du pouvoir des habitudes. Vous savez qu'il est normal que les gens ne soient pas, d'entrée de jeu, pleinement ouverts au changement. Et vous connaissez maintenant sept stratégies pour améliorer vos chances de succès.

Comment réaliser tout cela ? C'est ce que vous verrons dans les deux prochains chapitres.

CHAPITRE SEIZE

# Développez le vouloir

*Plusieurs de nos rêves semblent impossibles au début.*
*Puis ils semblent improbables. Et puis nous développons*
*notre volonté et ils deviennent rapidement inévitables.*

– CHRISTOPHER REEVES

Avant de nous lancer dans ce chapitre, rappelons ce que nous entendons par le **vouloir**. Vouloir quelque chose, c'est avoir envie que l'objet de nos désirs se réalise. C'est faire le compte des avantages et des désavantages d'une nouvelle situation et décider que les avantages ont préséance. C'est décider qu'on est prêt à s'investir. C'est dire oui au changement.

Le vouloir n'est pas instantané dans une organisation. Comme nous l'avons vu au chapitre précédent, il peut faire défaut à trois niveaux: au niveau personnel, au niveau du groupe ou au niveau environnemental. Ce chapitre présentera comment s'attaquer, tour à tour, à ces trois sources possibles de résistance.

## LE VOULOIR
## AU NIVEAU PERSONNEL

D'entrée de jeu, vous ferez face à deux groupes d'individus. Ceux à qui votre projet sourit et ceux qui n'en ont pas envie. Les premiers perçoivent déjà tout ce que le projet leur rapportera. Les seconds anticipent les problèmes et les difficultés. Que faire pour bien mobiliser tous ces gens ?

Ne tenez pas pour acquis que ceux qui profiteront de votre initiative en sont conscients. C'est une bonne idée de leur rappeler les bénéfices potentiels. Ce qui vous semble évident ne l'est pas nécessairement pour eux. Or, vous aurez besoin de leur aide pour conquérir l'esprit des gens qui se sentent menacés par vos projets. En leur confirmant ce qu'ils ont à gagner, vous élevez leur niveau d'engagement. Vous les allumez un peu plus.

Que faire avec ceux qui voient dans vos ambitions des problèmes et des difficultés ? Vous pourriez les rencontrer individuellement, écouter leur opinion et réagir. Profitez-en pour éclaircir les enjeux et éliminer les fausses perceptions.

- *S'il se méfie de vous*, il est temps de mettre cartes sur table. Si votre dernière décision n'a pas été heureuse, admettez-le. Expliquez que vous œuvrez dans un univers en mutation et que le succès s'atteint toujours par essais et erreurs. Demandez-lui si vous pouvez compter sur lui pour atteindre le succès cette fois-ci. S'il doute de vos compétences, dites ce qu'il en est. Ne supposez pas qu'il sait que vous méritez qu'on vous fasse confiance. Faites-en la preuve.

- *S'il doute de votre décision*, il est temps d'étoffer votre dossier. Y a-t-il des informations qui ne lui ont pas été communiquées ? Le fait de présenter vos arguments vous permettra non seulement de faire face à l'opposition, mais de mieux structurer votre propre argumentaire. N'hésitez pas à répéter, sur une base personnelle, ce qui a déjà été communiqué au niveau organisationnel. Les messages n'atteignent pas tout le monde.

- *S'il craint votre projet*, il est temps de faire le point. Qu'en est-il? Y a-t-il menace à l'horizon? Dans l'affirmative, la menace est-elle encore plus grande si rien n'est fait? Dans la négative, apaisez ses appréhensions. Et surtout, ne laissez jamais entendre qu'une crainte identifiée est ridicule. Il s'agirait d'une attaque personnelle.

- *S'il y a de la colère*, identifiez-en la cause. Faites amende honorable si elle est due à votre négligence et faites preuve de compréhension si elle est justifiée. Dans la négative, remettez les faits dans leur juste perspective.

Bref, ne considérez pas vos troupes comme un amalgame informe qui ne comprend pas le bien-fondé de vos décisions. Voyez-les comme un regroupement d'individus et approchez chacun avec l'intention d'éclaircir les enjeux. Ils ne pensent pas tous la même chose. Ils ne perçoivent pas tous de la même manière. Ce serait une erreur de tous les mettre dans le même sac.

Il arrivera que vous devrez vous rallier à la perception d'un employé. Il craint de perdre son emploi et vous savez que c'est possible? Ne le lui cachez pas. Confirmez que c'est possible et réagissez. Si vous pouvez lui promettre un autre poste, faites-le. Si vous ne lui voyez plus d'avenir chez vous, offrez-lui ce que vous pouvez comme mesure de transition.

Ne faites pas abstraction de la réalité. Vous en perdriez votre crédibilité.

## LE VOULOIR
## AU NIVEAU DU GROUPE

Quand on parle de stratégies de changement, la résistance au niveau du groupe prend un autre nom. On l'appellera la **pression des pairs**. Celle-ci peut être positive ou négative. Votre objectif devrait être d'en tirer le meilleur, c'est-à-dire d'atténuer les pressions négatives et d'encourager les pressions positives. Un objectif qui peut sembler complexe à première vue, mais qui n'est pas insoluble.

Pour illustrer comment procéder, je vous proposerai quelques principes généraux. Premièrement, celui des intérêts communs. Chaque fois que vous vous trouvez des points communs avec un groupe, la communication devient plus facile. Encore faut-il que vous vous donniez la peine de le faire !

En quoi votre projet de changement rencontre-t-il les intérêts des gens à qui vous l'imposez ? Il n'est pas certain que ces intérêts soient gagnants sur tous les points, mais quels sont ceux qui feraient des gagnants ? Communiquez-les ! Les gens prennent une décision en pesant les pour et les contre. S'ils ne sont pas conscients des pour, les contre pèsent davantage dans la balance. Assurez-vous de communiquer à vos troupes les avantages de votre projet.

Deuxièmement, les personnes sont plus favorablement influencées par les gens qui leur ressemblent. Si certains restent imperméables à vos arguments, vous aurez avantage à demander à d'autres de les influencer. Vous ne pouvez pas bien connecter avec tout le monde. En l'acceptant, vous vous ouvrirez à l'idée de demander de l'aide afin de propager votre message dans les équipes.

Troisièmement, vous devez reconnaître le pouvoir des leaders d'opinion. Dans chaque équipe, il y a des gens qui ont un plus fort ascendant que vous sur les troupes. Pourquoi ne pas leur offrir des formations particulières qui les transformeront en agents de communication? Les idées se propagent souvent mieux de l'intérieur.

Pourquoi ne pas demander aux éléments convaincus de devenir des mentors pour les personnes réticentes? Pourquoi ne pas leur demander d'entrer régulièrement en contact avec ces personnes afin de savoir où elles en sont, si elles rencontrent des problèmes et s'ils peuvent les aider? Le soutien des autres est un facteur facilitant quand arrive une situation de changement. Misez sur cela.

Quatrièmement, vous pouvez offrir d'autres mandats aux leaders négatifs afin qu'ils cessent de propager leur message parmi vos troupes. Cela ne veut pas dire de leur offrir une promotion. Quelquefois, un mandat spécifique suffira. Le temps que vos troupes digèrent, pendant leur mandat, le changement proposé.

Si vous êtes dans un milieu syndiqué, quand arrive le temps d'imposer un changement, le dialogue est bien plus bénéfique que le monologue. Vous pouvez supposer que ces représentants sont foncièrement contre vous mais c'est faux. Ils sont pour leurs membres. Et la prospérité de votre organisation les préoccupe. Entrez en contact avec l'exécutif syndical. Vous trouverez là probablement votre meilleur allié.

Cinquièmement, vos habiletés de communication auront aussi un impact probant sur l'acceptation de votre projet par vos troupes. Vous pouvez, par exemple, contrebalancer les discours apocalyptiques en offrant une vision plus réaliste de l'avenir à la suite de la réforme que vous proposez. Vous pouvez rétablir les faits si quelqu'un s'attaque à votre crédibilité. Vous pouvez imposer des sanctions à ceux qui menacent leurs collègues sans aucune raison.

Et, sixièmement, si votre déficit de crédibilité est tel que tous haussent les épaules chaque fois que vous parlez, vous pouvez appeler l'aide d'un spécialiste en qui vos troupes croient. Demandez-lui de venir confirmer votre vision de la situation afin d'engager les troupes dans le changement que vous proposez.

## LE VOULOIR
### AU NIVEAU ENVIRONNEMENTAL

En quoi vos politiques, vos directives et votre système de récompenses favorisent-ils l'adhésion à votre projet de changement ? Pour être plus clair, qu'est-ce que les gens ont à gagner s'ils épousent votre nouveau projet ? Votre système de récompenses sera-t-il à la hauteur ?

Que récompensez-vous actuellement ? À qui vont les primes ? Qui est mis en valeur lors des rencontres d'équipe ? J'espère que ce sont ceux qui contribuent à l'atteinte de vos nouveaux objectifs. Sinon, vous vous tirez dans le pied chaque fois.

Pour faire grandir le vouloir au niveau environnemental, commencez par vous demander comment vous évaluerez le succès de vos nouvelles initiatives. Quels indicateurs seront utilisés ? Quels facteurs de succès seront mesurés ? Comment pourrez-vous communiquer les avancées ?

Vos employés ne pourront jamais performer s'ils ignorent sur quelle base ils sont évalués. Offrez-leur la possibilité de briller (c'est un prérequis si vous souhaitez qu'ils soient allumés) en leur communiquant ce qui est attendu d'eux. Et récompensez-les en fonction de ces attentes. Ne récompensez jamais des comportements dont vous ne voulez pas.

Par exemple, assurez-vous de ne pas envoyer de signaux contradictoires. Qu'est-ce qui est important dans votre projet? Comment en évaluerez-vous le succès? Voici la base sur laquelle vous devrez récompenser les membres de votre équipe: *Qui contribue au succès de votre initiative? Qui a un impact positif sur les résultats que vous souhaitez générer?* Ce sont ces gens qui devraient présentement être récompensés.

Le changement n'est pas facile à réaliser dans les organisations fortement bureaucratisées. Dans celles-ci, on a souvent tendance à s'attacher aux anciennes façons de faire alors que les nouvelles méthodes sont discréditées. Vous souhaitez être patron? Méritez votre poste en assumant de relever ces défis.

## VOUS FAITES DE LA PUB À L'EXTERNE?

La publicité, pour vous, sert-elle uniquement à convaincre les clients de la nécessité d'avoir recours à votre produit ou à vos services? Si tel est le cas, j'ai de petites nouvelles pour vous... Les efforts que vous investissez actuellement pour convaincre votre clientèle externe (vos clients, vos investisseurs, vos partenaires) doivent également être dirigés vers votre clientèle interne, c'est-à-dire vos employés.

Vous êtes fier de vos slogans externes? Vous vous gargarisez des formules que vous trouvez pour convaincre vos clients potentiels? La même magnitude d'efforts communicationnels devrait être investie face à votre clientèle interne. Ne tenez pas vos employés pour acquis plus que vous ne tenez vos clients. Ces deux groupes méritent votre attention.

Et avouez que ce ne sont pas les médias qui manquent pour y arriver : votre bulletin interne, qu'il soit papier ou numérique ; votre discours quotidien qui, comme nous l'avons mentionné à moult reprises depuis le début de ce livre, a un impact certain sur l'état d'esprit des troupes ; votre affichage interne. Pourquoi, en effet, ne pas afficher vos objectifs comme vous le feriez si vous souhaitiez convaincre vos clients externes ?

En tant que conférencier, j'ai souvent l'occasion de visiter des organisations où la pub interne est brillamment orchestrée. Une simple visite vous permet immédiatement de réaliser quel est l'objectif le plus important à court terme : la santé-sécurité au travail, l'ouverture de nouveaux comptes, la marge bénéficiaire, etc. De même que vous vous êtes choisi un axe de communication par rapport à votre clientèle externe, choisissez celui que vous développerez face à votre clientèle interne. Vous avez des messages à passer ? Mettez-y les efforts nécessaires.

## MISEZ SUR L'INFLUENCE RÉCIPROQUE

Vous avez, dans votre équipe, des gens fantastiques, des gens qui ont compris l'impulsion que vous souhaitez donner à votre organisation. Vous n'avez pas à être le seul pèlerin à l'œuvre dans vos efforts de persuasion. Recrutez et encouragez chacun à devenir un agent de changement.

Embrigadez les faiseurs d'opinion ; ils sauront faire pencher la balance de votre côté. Embrigadez les libres-penseurs ; ils auront un impact sur les gens qui les entourent. Bref, ne supposez pas que vous êtes le seul capable de propager votre message à vos troupes. Ils sont légions ceux qui n'attendent que votre signal pour se lancer dans l'action.

Ne les faites pas attendre trop longtemps... car en matière de persuasion, nul n'est une île. Donnez-vous la peine de miser sur les gens qui vous entourent et entreprenez de les convaincre dès aujourd'hui. Faites en sorte qu'ils souhaitent réaliser l'avenir souhaitable que vous leur avez communiqué. Ensuite, ils pourront contribuer à convaincre ceux que votre discours n'atteint pas.

# Chapitre dix-sept

# Développez le pouvoir

*Vouloir, c'est pouvoir.*

– Proverbe

Vous savez maintenant que, même si vos troupes ont envie de se lancer dans le changement, elles ne feront rien si elles doutent de leur capacité à mener le projet à terme. Votre défi ultime, c'est de les rendre capables de réaliser la mission qui leur incombe. Bienvenue dans le développement du pouvoir des troupes.

Comme pour le vouloir, le pouvoir se développe à trois niveaux: au niveau personnel, au niveau du groupe et au niveau environnemental. Voyons de quoi il retourne.

## Le pouvoir personnel

L'élément de base du pouvoir personnel, c'est la formation. Tant qu'une personne ne se sent pas à la hauteur, elle hésite devant une occasion de changement. Dès qu'elle sent qu'elle sera en mesure de l'assumer, elle a hâte de se lancer dans l'action. Donc, rendez les gens capables d'aller plus loin et ils ne tarderont pas à trépigner face au *statu quo*, désireux qu'ils seront de se lancer à l'assaut de nouveaux objectifs.

Idéalement, le développement du pouvoir ne devrait pas mettre l'apprenant dans l'embarras. C'est pour cette raison qu'on aura recours à la formation, aux exercices pratiques et aux simulations pour réussir sa mise à niveau. On ne veut pas qu'il perde la face devant ses pairs. On veut simplement qu'il acquière les compétences nécessaires pour relever le défi qui lui est offert.

Tant qu'une personne ne se sent pas prête à faire face aux défis, elle les évite. Votre travail, dans un premier temps, est de faire en sorte que tous les membres de votre équipe sentent qu'ils sont prêts à se lancer. Sans égard au danger. Sans égard au risque d'échec. Simplement parce que c'est la chose à faire et que c'est à eux que revient la tâche de la réaliser.

Demandez-vous donc ce qui leur manque pour se lancer. Des compétences? Pouvez-vous les leur offrir? Des habiletés? Pouvez-vous les leur démontrer? Du savoir? Pouvez-vous le leur enseigner? Faites la liste de ce qui manque à votre équipe et montez un programme de formation. Il vous revient de rendre vos troupes capables de faire face aux nouveaux défis.

Si vous souhaitez que ces gens puissent vous aider à relever les défis que vous leur offrez, vous devez les rendre aptes à le faire. Si vous les laissez à eux-mêmes sans les appuyer, vous risquez de miser sur une bande de pantins condamnés à la défaite.

Votre plan de match doit être simple: sont-ils en mesure de relever les défis que vous leur offrez? Si oui, bravo! Si non, que pouvez-vous faire pour les préparer? Ensuite, réunissez-les en équipes où ils pourront, ensemble, réaliser tout ce dont vous rêvez.

## LE POUVOIR DU GROUPE

Le succès est généralement le résultat du travail de tous, car nul n'est une île, même si on s'imagine trop souvent que notre succès est dû à notre talent personnel. Vous souhaitez que votre projet de changement soit un succès? Vous devrez apprendre aux gens à interagir. À miser les uns sur les autres. À se compléter.

Pour cela, il faut que vous transcendiez les barrières du simple attroupement pour transformer vos employés en véritables joueurs d'équipe. Pour y arriver, vous devrez les aider à relever six défis:

1. *Le défi de la responsabilité individuelle.* Tous les membres d'une équipe doivent se sentir personnellement responsables de son succès. Dans les simples attroupements, les gens ne se sentent pas imputables. Ils attribuent simplement l'échec à l'équipe. Dans les véritables équipes, chacun se démène pour atteindre le succès.

2. *Le défi de la mission commune.* L'équipe doit apprendre à s'entendre sur sa raison d'être et demander des éclaircissements à la direction si les demandes sont floues.

3. *Le défi du leadership partagé.* Tout comme vous avez appris à partager le pouvoir au chapitre quatre, les membres d'une équipe doivent apprendre à le faire quand arrive le temps de prendre une décision.

4. *Le défi du climat de travail nourrissant.* Dans une équipe ultra-performante, les émotions positives sont plus nombreuses que les négatives. Cela fait grandir le niveau d'énergie de l'équipe et la rend capable d'atteindre de nouveaux sommets.

5. *Le défi de la cohésion.* Ce défi devrait déjà être relevé si vous avez mis en pratique les suggestions du chapitre onze.

6. *Le défi de l'ouverture au changement.* On ne met pas une équipe sur pied pour entretenir le *statu quo.* Elle est là pour embrasser le changement et en tirer le meilleur.

Personne ne peut tout savoir. Personne ne peut se sentir capable de relever tous les défis, de faire face à tous les obstacles. Il est normal, à l'occasion, de ressentir le doute et de s'accrocher au passé. Mais une équipe forte regroupant des personnes aux talents et aux savoirs complémentaires peut réduire ces craintes en faisant réaliser que les forces des uns viennent combler les faiblesses des autres et qu'ensemble tout est possible.

Le pouvoir peut également être offert à l'intérieur de l'équipe. Encouragez le transfert de connaissances. Y a-t-il quelqu'un qui pourrait assumer le rôle de mentor? Y a-t-il quelqu'un qui, ayant participé à un congrès, pourrait partager tout le savoir que l'événement lui a permis d'acquérir?

## LE POUVOIR DE L'ENVIRONNEMENT

À force de baigner dans un environnement de travail, on finit par ne plus le voir. Pourtant, bien géré, il peut faire grandir vos chances de succès face au changement.

Votre environnement de travail encourage-t-il actuellement le changement? Par exemple, si vous souhaitez plus de collaboration, offrez-vous de vastes espaces de travail ou chacun doit-il se contenter d'un minuscule espace personnel?

Vos employés ont-ils accès à de l'équipement de pointe? Ne vous attendez pas à une productivité comparable à celle de vos concurrents si l'équipement de ces derniers est supérieur au vôtre.

Votre environnement de travail communique-t-il suffisamment les défis en cours? Nous l'avons vu précédemment, les habitudes sont tenaces et, sans des rappels fréquents, il est très facile de retomber dans les vieux comportements. Que communique votre environnement? Y a-t-il des affiches qui rappellent, slogans à l'appui, les défis les plus importants? Qu'en est-il des fonds d'écran? Si un projet est particulièrement important (par exemple, doubler les ventes en deux ans), y a-t-il, sur chaque bureau, un objet (une balle, un cube ou autre) arborant le défi (par exemple, Objectif: 2 en 2)? Y a-t-il un signal sonore (par exemple, des applaudissements) qui retentit chaque fois qu'un représentant convainc un nouveau client ou décroche un nouveau contrat?

Il y a des environnements de travail qui ne parlent pas. On va, certes, installer une affiche dans les toilettes pour demander aux gens de se laver les mains, mais on reste muet sur les projets en cours. Comme s'il suffisait d'en parler aux réunions pour que le message passe...

Vous pouvez également entretenir le sentiment de compétence des membres de votre organisation en leur rappelant constamment les succès passés et les accomplissements de chacun. Pourquoi pas un hall des célébrités où vous présenteriez les prix reçus par chacun? Pourquoi pas une exposition permanente rappelant les faits d'armes de l'équipe? Pourquoi ne pas placer, sur votre Intranet, des capsules vidéo démontrant vos succès passés? Il est tellement facile d'oublier nos accomplissements et de douter de notre capacité à faire face aux nouveaux défis. Un environnement de travail mobilisateur fait en sorte que personne n'oublie les capacités de l'organisation.

Finalement, pour reprendre l'analogie sportive présentée dans un autre chapitre, vos coéquipiers sont-ils conscients du score actuel de la partie en cours? Si votre objectif est de doubler les ventes en deux ans, où en êtes-vous actuellement? Y a-t-il un tableau indicateur bien en vue qui communique le chemin accompli et ce qui reste à faire? Idem si vous souhaitez réduire le nombre d'accidents de travail. Même chose si un nouveau produit doit être lancé en janvier: pourquoi ne pas expédier un courriel chaque jour à tous les gens concernés indiquant le nombre de jours restants et le pourcentage d'achèvement du travail?

Votre environnement de travail parle. Il peut encourager les gens en leur disant que tout va bien, que les échéanciers sont respectés. Il peut leur rappeler ce qui est important et ce qui l'est moins. Il peut actionner la sirène d'alarme si les choses vont moins bien qu'anticipé. Dans tous ces cas, il rend les gens plus conscients et plus enclins à persévérer.

## Rendez le changement plus facile

Aucune initiative de changement ne peut être concluante si les gens n'ont pas à la fois le désir de se lancer dans le projet et le sentiment qu'ils en sont capables. Pour qu'ils s'en sentent capables, trois options s'offrent à vous.

1. Vous pouvez faire grandir en chaque individu le sentiment qu'il sera à la hauteur des défis que vous lui proposerez. Pour ce, faites-lui réaliser son potentiel, offrez-lui de la formation et apprenez à reconnaître ses accomplissements. Bref, continuez de le faire grandir et mettez-le en valeur.

2. Remarquez qu'il n'est pas suffisant de pouvoir compter sur une armée de personnes ayant confiance en elles. Celles-ci doivent de plus travailler de manière concertée en misant sur les forces et les connaissances de chacun. Pour rendre le changement plus facile, vous devez transformer ces attroupements de personnes en véritables équipes.

3. Mais encore là, ce n'est pas suffisant. Il est tellement facile de retomber dans la routine si on ne nous rappelle pas constamment les priorités. C'est ici qu'entre en jeu votre environnement de travail. Celui-ci doit non seulement empêcher les gens de retomber dans leurs vieilles habitudes, mais il doit de plus les encourager en leur communiquant le chemin déjà parcouru, les succès déjà rencontrés.

# CHAPITRE DIX-HUIT

# Célébrez!

J'aimerais débuter ce chapitre en vous parlant d'une émotion essentielle dans un milieu de travail où on retrouve des gens allumés: la fierté. Au travail, cette émotion naît chez l'employé qui a le sentiment de s'accomplir et de contribuer, quand il a l'impression d'être important dans son milieu de travail, quand il sait qu'il fait une différence.

Lorsqu'elle est ressentie, la fierté fait grimper le niveau d'énergie de l'individu, son sentiment de valeur personnelle et sa confiance en lui. Cela l'amène à se sentir encouragé et à se donner des défis plus grands encore. Cette émotion peut également être ressentie au niveau de l'équipe ou au niveau organisationnel.

En tant que leader, le sentiment partagé de fierté devient l'accomplissement de votre mission. Si vos employés le ressentent, c'est que vous avez réussi à les faire briller et qu'ils ont été à la hauteur de vos attentes. Du coup, ils sont prêts pour le prochain défi.

## L'ÉLÉMENT DE BASE : L'INFORMATION

Mais encore faut-il que vos employés en soient conscients. Trop souvent, les dirigeants entretiennent un culte du secret. Ils sont avares d'information. Ce faisant, au lieu de créer de la fierté, ils entretiennent l'anxiété ou encouragent l'apathie. Dans les deux cas, ils se tirent dans le pied.

Imaginez que vous assistiez à votre toute première partie de baseball et que vous ne connaissiez rien de ce jeu. Vous ne savez pas comment on compte les points. Vous ignorez les règlements. Tant et si bien que vous êtes surpris d'apprendre qui a gagné en fin de partie. Comment allez-vous apprécier le match ?

Il est probable que vous vous ennuierez. Vous risquez de consulter plus souvent votre montre que de regarder ce qui se passe sur le terrain. Vous risquez même d'être agacé et d'en vouloir un peu à la personne qui vous a invité.

C'est normal : pour qu'un match soit enlevant, il faut en connaître le pointage à tout moment. Il faut savoir qui a pris les devants. Il faut que l'autre équipe ait encore le temps de rattraper son écart. À preuve, il n'est pas rare de voir les gens quitter avant la fin quand les dés sont jetés et qu'il est alors évident que c'est telle équipe qui va gagner.

Il en va de même au travail. Pour porter un quelconque intérêt à ce qui s'y passe, vous devez connaître votre pointage. Êtes-vous en avance ? Êtes-vous en retard ? Qu'avez-vous fait de bon ? Qu'avez-vous fait de mal ? Si vous avez pris du retard, avez-vous encore la possibilité d'effectuer une remontée et de gagner la partie? Toutes ces informations auront un impact sur votre ardeur au travail.

Qu'en est-il de votre équipe? Se pourrait-il qu'elle ait toutes les raisons d'être fière mais qu'elle l'ignore? Profitons de ces pages pour découvrir comment vous pouvez faire grandir la fierté au quotidien. Vous n'êtes pas un véritable leader si vous ne le faites pas.

## COMMUNIQUEZ D'ABORD
## LES RÈGLEMENTS DU MATCH

Vous n'aimeriez pas vous retrouver sur un terrain de baseball sans connaître les objectifs et les règles du jeu, n'est-ce pas? Vous risqueriez peut-être même de compter dans votre propre but. Quelle gêne alors!

Il en va de même pour vos employés. S'ils ne savent pas exactement ce qui est attendu d'eux, ils risquent de ne pas être à la hauteur ou de freiner leur esprit d'initiative. Rencontrez chacun et expliquez-lui sur quelle base vous prévoyez évaluer sa performance. Il est tellement facile de mettre l'emphase sur un aspect de son travail quand c'est autre chose qui est attendu de son patron. Mettez les pendules à l'heure.

Faites de même avec vos équipes en balisant leur mandat. Créez une mise en contexte et expliquez comment elles seront évaluées compte tenu des échéanciers, des ressources investies et de la qualité du travail final. Soyez clair et vous verrez immédiatement vos équipes améliorer leur travail.

Personne ne peut offrir une performance exceptionnelle s'il ignore ce qui est attendu de lui. Qu'est-ce qui est important? Sur quoi faut-il mettre l'emphase? Si tout cela n'est pas communiqué, ce ne sera pas concrétisé.

## ENSUITE, COMMUNIQUEZ LE POINTAGE

Imaginez que ce soit à la fin de la partie seulement que les arbitres annoncent quelle équipe est la gagnante. Ce serait frustrant, autant pour les joueurs que pour les spectateurs. C'est à chaque moment du match qu'il faut connaître sa position pour mieux agir et mieux réagir.

Sur une base régulière, tenez vos troupes au courant de leur niveau de performance. Y a-t-il lieu de redresser le tir? Communiquez-le et exigez des améliorations. Si vous ne le faites pas, vous ne pourrez jamais les féliciter et leur faire ressentir de la fierté. Si, au contraire, les objectifs sont atteints, c'est le temps de célébrer. Nous verrons comment dans la prochaine section.

L'évaluation de la performance doit se faire sur une base quotidienne. Vous passez près de quelqu'un qui fait bien son travail? Dites-le-lui ou remerciez-le simplement. Une équipe vous fait un rapport d'étapes et vous êtes content des résultats? Dites-le! N'attendez surtout pas la fin du projet avant de mentionner votre satisfaction. Permettez-leur de goûter à l'avance la fête de leur succès. Ils y mettront encore plus de cœur demain. Pour devenir addictif, le succès doit se savourer avant, pendant et après. Alors, qu'est-ce qui importe en ce moment? Avec une équipe de vendeurs, ce pourrait être:

- le volume de vente;
- la liquidation des stocks bientôt défraîchis;
- la marche bénéficiaire;
- l'ouverture de nouveaux comptes.

Qu'est-ce qui importe pour vous? Quand vous l'aurez déterminé et que vous l'aurez communiqué, agissez. Ne laissez pas vos employés dans le vide. Ils ont besoin de savoir s'ils performent à votre satisfaction.

Une mise en garde s'impose ici: ne vous contentez pas d'un bravo et d'un merci vides de sens. À la rigueur, ce sera vu comme de la frime, comme un tic managérial. Si vous dites merci, dites aussi pourquoi. Cela procure un impact bien plus important sur la personne félicitée et lui indique la voie à suivre pour continuer à briller dans votre organisation.

Prenez également le temps de rappeler à chacun à quel point son travail a un effet sur le rendement global de l'organisation. Les gens ont souvent le nez collé sur leurs tâches au point où ils oublient qu'ils contribuent à quelque chose de plus grand. En le leur rappelant, vous leur permettez de ressentir encore un peu plus de fierté.

## IL VOUS RESTE MAINTENANT À CÉLÉBRER

Célébrer, c'est réaliser la chance qu'on a d'être fiers. C'est partager son plaisir et se tourner vers l'avenir en se disant qu'on fera en sorte de fêter à nouveau dans le futur. Les célébrations procurent plusieurs avantages:

- *Elles nous permettent de partager notre fierté.* Une célébration permet de nous débarrasser du stress accumulé et recharge nos batteries pour nous permettre de continuer notre périple. C'est une étape nécessaire dans un processus de changement qui prend du temps. C'est le moment de faire le point, de nous encourager et de repartir de l'avant.

- *Elles nous permettent de donner l'exemple.* En mettant en valeur les faits d'armes de certains employés, nous faisons réaliser aux autres que ce qui est attendu d'eux n'est pas exagéré, que c'est réalisable et qu'eux aussi pourraient être célébrés prochainement.

- *Elles nous permettent d'encourager les troupes.* En plein processus de changement, quand on commence à trouver le processus trop long, célébrer le trajet accompli fait du bien.

- *Elles nous permettent d'envisager l'avenir avec optimisme.* Si nous y sommes arrivés à ce jour, nous serons en mesure de continuer. La simple réalisation du chemin parcouru nous donne à penser que le reste du trajet, aussi risqué soit-il, sera bientôt complété.

Vous pouvez célébrer les performances individuelles[9]. Par exemple, vous pouvez inviter à dîner un employé s'étant distingué, le but du repas étant de répéter vos félicitations et également de faire savoir que sa performance est appréciée. Vous pourriez également lui offrir des billets de spectacles, un après-midi de congé, etc. L'objectif étant de lui témoigner votre reconnaissance et de l'encourager à continuer dans le même sens.

Vous pouvez profiter d'une réunion pour rendre hommage à l'employé. Inscrivez le point à l'ordre du jour et prenez le temps de mentionner comment sa performance aide toute l'organisation à rayonner. Si aucune réunion n'est prévue ou

---

9. Y a-t-il iniquité si vous récompensez un employé particulièrement performant? Pas du tout. En fait, il est plutôt inéquitable de le traiter comme les autres si son apport est extraordinaire. Vous risqueriez de le perdre...

si vous souhaitez élargir l'auditoire de vos félicitations, utilisez un courriel ou le bulletin interne.

Vous devriez également prendre l'habitude de célébrer les personnes qui composent votre équipe. C'est l'anniversaire de qui? Qui fête ses dix ans dans l'organisation aujourd'hui? Ses vingt ans? Et autres.

Célébrez les accomplissements. Qui vient d'obtenir un certificat universitaire? Qui vient d'obtenir un agrément? Qui s'est retrouvé dans un média à cause d'un accomplissement qui n'a rien à voir avec son travail immédiat? Apprenez à célébrer vos employés pour ce qu'ils sont, non pas uniquement pour leurs capacités professionnelles. De toute manière, les talents qu'ils utilisent actuellement ailleurs qu'au travail pourraient vous être utiles si vous apprenez à les canaliser.

Les accomplissements des équipes doivent également être célébrés. Une équipe travaille plus tard? Pourquoi ne pas inviter ses membres à terminer la soirée au resto? Pourquoi ne pas les citer lors d'un prochain événement public? Pourquoi ne pas leur demander de vous représenter lors d'une remise de prix?

En tant que conférencier, je suis souvent appelé à prendre la parole lors d'événements de reconnaissance. Une autre manière d'encourager les performances individuelles, c'est de demander à chaque équipe, lors d'une rencontre annuelle, de présenter leurs faits d'armes pour le dernier exercice.

Non seulement cela permet à chaque équipe de briller, mais, en plus, les accomplissements partagés peuvent donner des idées aux autres équipes. Qui sait ce que cette cérémonie vous rapportera dans l'année qui vient? Permettez aux bonnes idées de faire leur chemin parmi toute votre main-d'œuvre.

Ensuite, on présente les accomplissements globaux et on annonce les récompenses qui y sont attachées. Tous partent en étant fiers de faire partie d'une équipe qui a su apporter une différence pendant l'année.

Et que dire des performances organisationnelles? Elles ne devraient pas être passées sous silence. Votre nouveau produit a reçu une critique favorable dans un magazine? Numérisez la page et expédiez-la à tous les employés en les remerciant de leur implication. Vous venez de décrocher un nouveau client prestigieux? Vous venez de conclure une alliance avec un important acteur international? C'est le temps d'organiser une fête.

Ne passez pas sous silence les gestes posés par votre organisation en tant que bon citoyen corporatif. Vous avez participé à un événement caritatif? Vous avez contribué à une campagne de levée de fonds? Faites-le savoir. Permettez à vos gens de s'associer à vos bonnes œuvres et de réaliser que, par leur travail, ils contribuent à faire du bien dans leur collectivité. Car il y a un peu de leurs efforts dans vos contributions sociales. Rappelez-leur ce fait et remerciez-les une fois de plus.

Chaque fois que vous célébrez un accomplissement organisationnel, soulignez que rien de tout cela ne serait possible sans leur apport. Permettez-leur de ressentir la fierté qui vous anime parce que, entre nous, ils le méritent autant que vous. Vous avez su, en bon leader, leur montrer la voie, mais c'est par leurs efforts que le chemin a été parcouru, que les objectifs ont été atteints.

## LA CÉLÉBRATION DOIT ÊTRE CONTINUE

Nous l'avons répété à maintes reprises tout au long de ce livre : le changement n'est pas un événement soudain qui arrive une fois et auquel il faut nous adapter. C'est davantage un processus continu, une philosophie de gestion qui ne s'éteindra jamais si nous souhaitons voir notre organisation survivre.

Il peut être tentant de se limiter à un gala de fin d'année qui célèbre tous les coups d'éclat réalisés pendant celle-ci, mais, ce faisant, on bureaucratise l'événement. La célébration doit être un état d'esprit, un événement qui a lieu tous les jours, à mesure que les performances exceptionnelles sont remarquées.

Vous êtes là pour faire briller vos troupes. Mettez-les sous les feux de la rampe chaque fois que l'occasion se présente. Être un leader, au bout du compte, c'est être un pourvoyeur de fierté, une fierté légitime basée sur des accomplissements réels. Retenez seulement cela de votre lecture et vous aurez déjà une longueur d'avance sur les autres gestionnaires de votre organisation.

# Conclusion

*La raison d'être du leadership n'est pas*
*de mettre de la grandeur dans les gens,*
*mais de la dénicher, car elle est déjà là.*

– JOHN BUCHAN

Vous voici donc au terme de votre lecture. Vous êtes passé à travers dix-huit chapitres qui, chacun, vous enjoignait de devenir un employeur de choix. Dix-huit chapitres que vous avez lus rapidement, mais qui vous prendront des mois à mettre en œuvre. Vous vous êtes peut-être même surpris à vous demander si ces efforts en valaient la peine. C'est le cas, croyez-moi. Laissez-moi vous rappeler ce que vous en retirerez personnellement si vous relevez les dix-huit défis que je vous ai présentés tout au long de cet ouvrage.

1. *Vous dormirez mieux.* Parce que vous compterez dorénavant sur des gens allumés et non sur des zombies, vous aurez davantage confiance en l'avenir. On est bien plus optimiste quand on sait qu'on peut compter sur des gens qui ont à cœur de faire plus que ce qui est mentionné dans leur contrat d'emploi.

2. *Vous aborderez les crises avec flegme.* Plus question de s'énerver quand on sait qu'on peut compter sur le

courage, la créativité et l'énergie de tous ses gens. Cela pourrait avoir un impact positif sur votre propre santé.

3. *Vous aurez plus de temps pour vos tâches stratégiques*. Parce que les valeurs que vous aurez imposées à votre équipe feront en sorte de faire grandir la collaboration et la confiance, vous ne serez pas toujours en train d'éteindre des incendies et vous pourrez penser à long terme, nouer des alliances stratégiques et mener vos troupes plus loin encore.

4. *Votre service (votre département, votre entreprise, votre organisation) sera plus rentable*. Les études l'ont prouvé à plusieurs reprises. Par exemple, on a comparé les rendements financiers des 100 meilleurs employeurs (une liste publiée annuellement dans le magazine *Fortune*) à l'indice S&P 500. Les meilleurs employeurs affichent un rendement 2,3 fois supérieur. Rien d'étonnant quand on fait passer son équipe du stade de la médiocrité à celui d'ultra-performante!

5. *Votre réputation et votre crédibilité s'en trouveront améliorées*. Si vous faites partie d'une grande entreprise, il y a fort à parier qu'on pensera à vous quand arriveront de plus grands défis encore ou quand une promotion se présentera. C'est ce qui se produit quand on réussit : les résultats parlent par eux-mêmes.

6. *On se battra pour faire partie de vos troupes*. Les employés se parlent entre eux. Les meilleurs souhaitent faire partie d'une équipe de gagnants. Ne craignez pas le vieillissement de la population et la rareté de la main-d'œuvre si vous devenez un superleader.

Ces promesses vous font-elles sourire? Elles devraient vous encourager à investir les efforts nécessaires. D'autant que ce qui vous a été proposé dans ce livre n'exige pas d'investissements massifs. Dans la plupart du temps, cela ne demande que des efforts, de la volonté et de la discipline.

Vous n'avez pas non plus à être Grand Patron pour vous lancer. C'est une simple défaite si vous vous dites que l'organisation ne vous laissera jamais devenir un grand patron. Que vous soyez PDG, DG, superviseur ou chef d'équipe, vous pouvez devenir un superleader.

### ENGAGER QUAND MÊME UN MOTIVATEUR?

Vous avez maintenant offert à vos troupes le motivateur dont ils ont le plus besoin: vous. Est-ce à dire que vous n'aurez plus jamais recours à un motivateur externe? Oui et non. Voyons voir.

Vous n'aurez plus besoin de ce motivateur qui répète *ad nauseam* des phrases éculées comme *Vous êtes capables!* ou *Lâchez pas!* Maintenant qu'ils sont en contact avec un superleader, vos troupes le savent.

Il arrivera cependant que certains défis se poseront à vous et que vous vous demanderez collectivement comment les relever. Dans ces cas, vous pouvez bien prendre quelques années afin de développer, par essais et erreurs, des réponses à ces problèmes. Mais pourquoi vous condamner à réinventer la roue quand des spécialistes peuvent vous indiquer la voie express?

Ces spécialistes (j'en suis un) offrent souvent un service de conférences afin de vulgariser le savoir, d'expliquer comment d'autres organisations ont agi face au même problème et ce qu'il faut retenir de ces exemples. Ces conférenciers à contenu ne sont pas, au sens strict, des motivateurs, mais ils ont le même impact parce qu'ils réduisent l'incertitude, parce qu'ils créent chez les participants un vocabulaire partagé et parce qu'ils font prendre conscience à leur auditoire que le problème en cours est surmontable.

Parce que vous ne savez pas tout et que vous souhaitez mener vos troupes à la victoire, vous aurez besoin de ce type de motivateur de temps à autre.

### UNE NOUVELLE RESPONSABILITÉ POUR VOUS

Avec de nouveaux pouvoirs arrivent de nouvelles responsabilités. Il est évident que, à mesure que vous deviendrez un superleader, vos collègues gestionnaires remarqueront l'ambiance dans votre équipe et le rendement de vos troupes. Plusieurs vous approcheront alors et vous demanderont comment vous vous y prenez. Comment faites-vous pour vous entourer d'employés allumés alors que eux doivent se contenter au mieux de gens engagés et, au pire, de zombies ?

Vous pouvez tout simplement leur suggérer la lecture de ce livre, mais, mieux encore, écoutez-les et faites-leur des suggestions adaptées à leur situation. Attaquez-vous à leur besoin le plus pressant et encouragez-les à vous revenir si d'autres questions s'imposent à leur esprit. Devenez leur mentor. Soyez leur guide.

Au fil du temps, vous pourrez nouer des alliances avec eux afin d'exiger des changements appropriés auprès de la haute direction. Des changements au niveau des programmes en place. Des crédits pour la formation en gestion de conflits, en gestion du temps ou en tout ce qui peut améliorer encore plus votre performance.

Et si vous êtes un grand patron, donnez-vous pour mission de transformer chacun de vos gestionnaires en superleader. Vous en avez le pouvoir et vous savez que votre organisation en sortira gagnante.

D'autant plus que d'autres changements se profileront à l'horizon. Vous aurez besoin de toutes vos troupes pour leur faire face et en tirer tous les bénéfices potentiels qui se cachent en eux.

# Lectures suggérées

Allen, Judd. *Wellness Leadership*, Human Resources Institute, Burlington, Vermont, 2008, 149 p.

Barber, Terry. *The Inspiration Factor*, Greenleaf, Austin, Texas, 2010, 175 p.

Burchell, Michael et Jennifer Robin. *The Great Workplace*, Jossey-Bass, San Francisco, 2011, 247 p.

Chang, Richard. *The Passion Plan at Work*, Jossey-Bass, New York, 2001, 273 p.

Gallo, Carmine. *Fire Them Up!*, Wiley, New York, 2007, 229 p.

Haudan, Jim. *The Art of Engagement*, McGraw Hill, New York, 2008, 251 p.

Lowe, Graham. *Creating Healthy Organizations*, University of Toronto Press, Toronto, 2010, 256 p.

Murphy, Mark. *Hundred Percenters*, McGraw Hill, New York, 2010, 212 p.

Patterson, Kerry et al. *Influencer*, McGraw Hill, New York, 2008, 299 p.

Ryan, M. J. *This Year I Will*, Broadway Books, New York, 2006, 226 p.

Samson, Alain. *Agir, c'est ça le secret*, Béliveau Éditeur, Longueuil, 2011, 228 p.

Samson, Alain. *Comment devenir un meilleur boss*, Éditions Transcontinental et Fondation de l'entrepreneurship, Montréal et Québec, 2005, 151 p.

Samson, Alain. *Comment exploiter mes employés*, Éditions Transcontinental et Fondation de l'entrepreneurship, Montréal et Québec, 2008, 168 p.

Samson, Alain. *Comment favoriser le travail d'équipe*, Éditions Transcontinental et Fondation de l'entrepreneurship, Montréal et Québec, 2011, 190 p.

Samson, Alain. *Faites votre C.H.A.N.C.E.*, Éditions Transcontinental, Montréal, 2007, 136 p.

Samson, Alain. *Persuadez pour mieux négocier*, Éditions Transcontinental et Fondation de l'entrepreneurship, Montréal et Québec, 2003, 246 p.

Samson, Alain. Journal *Métro*, collaborations diverses, 2012.

# Qui est le conférencier Alain Samson?

Depuis bientôt vingt ans, le conférencier Alain Samson aide des organisations à relever les défis auxquels elles font face. Que ce soit devant un groupe de 10 ou de 1000 personnes, Alain sait aller à l'essentiel tout en soutenant l'intérêt de son auditoire, grâce à la base scientifique de ses propos et un humour pince-sans-rire très efficace.

Détenteur d'un certificat en Sciences sociales, d'un MBA (UQAM, 1993) et d'un diplôme d'études supérieures en formation à distance, il est gradué du *Authentic Happiness Coaching Program*, un programme de formation offert par des sommités mondiales en matière de psychologie et de développement personnel.

Auteur prolifique couronné à de multiples reprises (il a, par exemple, obtenu une mention du jury lors de la remise du Prix du livre d'affaires en 2006 pour *Les boomers finiront bien par crever,* et son fameux *Comment devenir un meilleur boss* s'est avéré le meilleur vendeur en matière de livre de gestion au Québec la même année), il est également chroniqueur pour le journal *Métro.* Huit de ses ouvrages sont distribués en Europe et en Afrique francophone, deux ont été publiés en italien, trois en espagnol, deux en anglais et dix en russe. De plus, il est reconnu comme un des experts québécois en matière de théorie de la persuasion.

Il y a onze ans, constatant que même la meilleure stratégie d'affaires était vouée à l'échec si les membres de l'organisation n'étaient pas heureux, il a plongé dans ce champ de recherche et est devenu l'auteur de la collection *SOS Boulot*, une collection dont plus de 50 000 exemplaires ont été vendus depuis.

Alain est également membre de l'IPPA (International Positive Psychology Association).

* *

*Vous souhaitez apprendre sans que ce soit une corvée?*
*Pourquoi ne pas apprendre en vous amusant.*
*Vous souhaitez mobiliser vos troupes?*
*Choisissez ce communicateur hors-pair.*

www.alainsamson.net

# AUTRES OUVRAGES DE L'AUTEUR PUBLIÉS CHEZ BÉLIVEAU ÉDITEUR